LYON
EN QUELQUES JOURS

D1310930

Claire Angot

Dans ce guide

L'essentiel
Pour aller droit au but et découvrir la ville en un clin d'œil.

Agenda
Fêtes et événements, mois par mois

Les quartiers
Se repérer

Explorer Lyon
Sites et adresses quartier par quartier.

Les incontournables
Pour tirer le meilleur parti de votre visite

100% lyonnais
Vivre comme un habitant

Lyon selon ses envies
Les meilleures choses à voir, à faire, à tester...

Les plus belles balades
Découvrir la ville à pied

Envie de...
Le meilleur de Lyon

Carnet pratique
Trucs et astuces pour réussir votre séjour.

Hébergement
Une sélection d'hôtels

Transports et infos pratiques

Notre sélection de lieux et d'adresses

⊙ **Voir**

⊗ **Se restaurer**

⊖ **Prendre un verre**

✪ Sortir

🔒 **Shopping**

Légende des symboles

🎵 Numéro de téléphone
☺ Horaires d'ouverture
P Parking
🚭 Non-fumeurs
@ Accès Internet
📶 Wi-Fi
🥗 Végétarien

👪 Familles bienvenues
🐾 Animaux acceptés
🚌 Bus
🛳 Bateau
Ⓜ Métro
🚊 Tramway/Funiculaire
🚆 Train

Retrouvez facilement chaque adresse sur le plan détachable

**Basilique
Saint-Martin d'Ainay**

6 ⊙ Plan E8

Cette église romane, style r
à Lyon, figurait sur la toute
établie par Mérimée e
ces classés monum
es en France.
monastère bénéd
ar le pape Pascal
rigine une très g
on, avec jardins.

Lyon
En quelques jours

Les guides *En quelques jours* édités par Lonely Planet sont conçus pour vous amener au cœur d'une ville.

Vous y trouverez tous les sites à ne pas manquer, ainsi que des conseils pour profiter de chacune de vos visites. Nous avons divisé la ville en quartiers pour un repérage facile. Nos auteurs expérimentés ont déniché les meilleures adresses dans chaque ville : restaurants, boutiques, bars et clubs... Et pour aller plus loin, découvrez les endroits les plus insolites et authentiques dans les pages "100% lyonnais".

Ce guide contient également tous les conseils pratiques pour éviter les casse-tête : itinéraires pour visites courtes, moyens de transport, etc.

Grâce à toutes ces infos, soyez sûr de passer un séjour mémorable.

Notre engagement

Les auteurs Lonely Planet visitent en personne, pour chaque édition, les lieux dont ils s'appliquent à faire un compte-rendu précis. Ils ne bénéficient en aucun cas de rétribution ou de réduction de prix en échange de leurs commentaires.

Lyon selon ses envies 133

Les plus belles balades

Envie de...

Lyon hier et aujourd'hui 149

Carnet pratique 155

L'essentiel

Bienvenue à Lyon !

L'ancienne capitale des Gaules a un charme fou. Gourmande, cultivée, attachante, la ville fourmille de bonnes tables, de joyaux architecturaux et de musées passionnants.
Il ne faut que quelques heures pour parvenir à s'y orienter parfaitement : arpentez les rues pavées, les traboules, les grandes avenues, passez d'un pont à l'autre, d'une colline à l'autre, flânez sur les rives du Rhône et de la Saône...
On parie que vous reviendrez ?

Guignol, l'enfant du pays
© CORINNE J. HUMPHREY / GETTY IMAGES

Lyon
Les incontournables

Basilique Notre-Dame de Fourvière (p. 98)

Depuis la colline de Fourvière, cet édifice de style néobyzantin, construit à la fin du XIXe siècle, veille sur la ville. À l'intérieur, ne manquez pas les mosaïques et les dorures, superbes.

Site archéologique de Fourvière et musée gallo-romain (p. 100)

Le grand théâtre et l'odéon, découverts dans les années 1930, ont été bâtis au Ier siècle avant J.-C., juste après la création de Lugdunum. Accolé au site, le musée gallo-romain possède une belle collection de trésors archéologiques.

Musée des Beaux-Arts (p. 24)

Installé dans le palais Saint-Pierre, un ancien couvent, le fonds de ce musée fait partie des plus riches d'Europe. Il possède deux sections majeures : une consacrée à l'Antiquité et une autre à la peinture du XIVe au XXe siècle.

Primatiale Saint-Jean (p. 80)

Construite entre le XIIe et le XVe siècle dans un mélange de styles roman et gothique, la cathédrale Saint-Jean domine le Vieux Lyon. À l'intérieur, les automates de l'étrange horloge astronomique étonnent les visiteurs à heures fixes.

© BASILE VAILLANT

VISITE FAMILLE, MUSÉE DES MARIONNETTES DU MONDE © MUSÉES GADAGNE / G. AYMARD

Musée Gadagne (p. 82)

Marionnettes du monde entier et histoire lyonnaise se rencontrent dans le somptueux hôtel Renaissance de la famille Gadagne. Vous y verrez notamment l'original de Guignol, l'enfant du pays.

Institut Lumière
(p. 114)

Le cinématographe est né à Lyon en 1895. Il était donc inévitable que la ville consacre un musée à la vie et à l'œuvre des frères Lumière, installé dans l'ancienne demeure familiale.

Parc de la Tête d'Or
(p. 112)

Le Central Park de Lyon est un rêve de verdure ! Il abrite un zoo avec une plaine africaine, un parc botanique, un lac, de magnifiques roseraies... Et les parents y trouveront nombre d'activités pour les enfants.

Place des Terreaux
(p. 26)

Point de rencontre des noctambules lyonnais, c'est l'autre grande place de Lyon, avec Bellecour. Sa fontaine Bartholdi et ses terrasses ombragées en font un site très apprécié l'été.

Agenda

À Lyon, les fêtes et festivals n'ont rien à envier à ceux des autres grandes villes européennes. Art contemporain, musiques actuelles, cinéma, danse, théâtre... la création se porte bien dans la capitale des Gaules. Programmation avant-gardiste ou populaire dans des sites d'exception, créations pointues ou manifestations plus traditionnelles : l'idée est de faire partager passions et émotions, et de rendre accessibles à tous l'art et la culture sous toutes leurs formes.

© MURIEL CHAULET/VILLE DE LYON

Tout L'Monde Dehors met les Lyonnais dans les rues

Mars-avril

☺ Biennale Musiques en scène
www.bmes-lyon.fr ; www.grame.fr
La "Bmes" s'attache à toutes les formes prises par la musique contemporaine : performances, installations, danse, opéras, concerts, expositions d'art contemporain... Si vous êtes à Lyon une année impaire, les Journées Grame, elles aussi consacrées à la musique contemporaine, ont lieu en alternance avec la Biennale.

☺ Quais du polar
www.quaisdupolar.com
Le dernier week-end de mars, hommage au roman noir ! C'est l'occasion de découvrir auteurs, œuvres littéraires et films, ou de vivre une enquête grandeur nature dans les rues de Lyon.

☺ Moisson d'avril
www.moissondavril.com
La ville de Guignol propose une biennale entièrement dédiée à la marionnette et accueille six jours durant artistes et compagnies du monde entier.

Mai-juin

☺ Nuits sonores
www.nuits-sonores.com
Le week-end de l'Ascension rime avec musique électronique ! Garnier, Carl Craig ou Gilles Peterson ont déjà honoré cet événement qui, une semaine durant, transforme Lyon en un joyeux terrain de jeux pour fêtards. L'association organisatrice propose toute l'année les Échos Sonores : des soirées qui ont lieu tous les mois à la Plateforme, une péniche jouxtant le Sirius (p. 124).

☺ Les Invités de Villeurbanne
www.invites.villeurbanne.fr
Ce "Festival pas pareil" a lieu sur quatre jours dans la ville de Villeurbanne, en proche banlieue. Entièrement gratuit, il mixe installations monumentales, arts de rue spectaculaires et concerts de haut vol.

Juin-août

☻ Les Nuits de Fourvière
www.nuitsdefourviere.fr
Musique (rock, classique, world…), mais aussi
théâtre, danse, et cirque sont au programme
chaque été depuis 1946. Les représentations
ont lieu dans les théâtres gallo-romains :
un cadre et une acoustique exceptionnels.

☻ Tout L'Monde Dehors
www.tlmd.lyon.fr
Plus de 250 rendez-vous artistiques de juin
à fin août, lors desquels associations et
équipes artistiques offrent gracieusement
leurs talents. En plein air, forcément. Une
idée qui se résume en trois mots : gratuité,
proximité, convivialité.

☻ Les Dimanches de l'Île Barbe
www.lyon.fr
Au programme de ces Dimanches, de mi-
juillet à août : musiques du monde, musique
classique, jazz et théâtre de rue sur l'île Barbe.
Des spectacles gratuits et de qualité, dans
un cadre exceptionnel de calme et de verdure.

Septembre-octobre

☻ Biennale d'art contemporain et Biennale de la danse
www.biennale-de-lyon.org
Les Biennales ont lieu en alternance en
septembre et sont devenues au fil des années
de grands rendez-vous artistiques à dimension
internationale. Chaque année, un thème guide
les diverses manifestations qui rassemblent
des centaines d'artistes. Et Lyon vit alors
pendant trois semaines (trois mois pour
la Biennale d'art contemporain) au rythme
des événements au programme.

☻ Les Tupiniers du Vieux Lyon
www.tupiniers.com
Le marché annuel des potiers se tient
un week-end de septembre. Depuis 1986,
les meilleurs potiers de France, d'Europe
et d'ailleurs envahissent le quartier Saint-
Jean pour faire connaître leurs créations.

☻ Festival Lumière
www.institut-lumiere.org
De l'invention du cinématographe par
les frères Lumière en 1895 aux tournages
des films de Carné, Truffaut ou Bertrand
Tavernier, Lyon est intimement liée à
l'histoire du cinéma. Malgré ce passé
glorieux, la ville n'a créé le festival Lumière
qu'en 2009. Un événement tous publics
qui évoque l'histoire et le patrimoine du
septième art. Chaque année, le Prix Lumière
est remis à un cinéaste pour l'ensemble de
son œuvre.

☻ Riddim Collision
www.jarringeffects.net
Organisé par le label lyonnais indépendant
Jarring Effects, ce festival propose une
programmation éclectique : électrojazz,
dubstep, breakbeat… Riddim balaie le
spectre des musiques électro. Un événement
qui, depuis douze ans, a su rester accessible
et convivial.

Décembre

☻ Festival de musique baroque
www.lachapelle-lyon.org
Un festival incontournable pour les
amoureux de la musique ancienne
– Renaissance, baroque ou, plus largement,
classique.

☻ Fête des Lumières
www.fetedeslumieres.lyon.fr
Aussi appelée "Illuminations", cette fête
rassemble toute la ville depuis… 1852 !
Petite leçon d'histoire : le 8 septembre 1852
devait marquer l'inauguration d'une statue
de la Vierge sur la colline de Fourvière, mais
elle fut reportée au 8 décembre en raison
d'une crue de la Saône. Le jour venu,
un orage éclata et l'on crut devoir à nouveau
décaler la cérémonie. Mais le temps se
dégagea et tous les Lyonnais, soulagés,
mirent spontanément des bougies à leurs
fenêtres et descendirent dans les rues.
Depuis 1999, en plus des bougies aux
fenêtres, mises en lumières et installations
d'artistes investissent la ville quatre jours
avant et/ou après le 8 décembre.

100% lyonnais
Vivre comme un habitant

Conseils d'initiés pour découvrir le vrai Lyon

À Lyon, certains quartiers un peu plus reculés ont des airs de campagne à la ville et méritent bien une petite promenade. D'autres, populaires et surtout résidentiels, n'ont ni grand musée ni édifice majeur, mais racontent à leur manière l'histoire de la ville. Soyez un gone parmi les gones et suivez nos itinéraires hors des sentiers battus !

Mode et design à la Croix-Rousse
(p. 62)

▸ Boutiques vintage et jeunes créateurs
▸ Histoire de la soie

Des pentes au plateau, la Croix-Rousse compte des dizaines de boutiques de créateurs talentueux (bijoux, sacs, chapeaux, déco pour la maison, luminaires, accessoires et vêtements pour enfants…). Suivez nos conseils pour trouver où dénicher des T-shirts fantaisie, la veste vintage de vos rêves, ou une robe de créateur à prix abordable. Chemin faisant, faites halte dans les petits musées pour en apprendre un peu plus sur l'histoire de la soie et du textile à Lyon.

Saint-Georges : vieilles pierres et pubs irlandais
(p. 84)

▸ Bières et ambiance *english-speaking*
▸ Architecture

Dans le Vieux-Lyon, le quartier Saint-Georges est un peu l'oublié des touristes, en raison de sa position géographique, plus au sud. Pourtant, il compte aussi de très belles pièces architecturales, et les pubs irlandais qui sont disséminés dans le secteur sont vraiment festifs. L'endroit est très apprécié des habitués lyonnais, dès la fin d'après-midi et jusqu'au petit matin.

Balade dans Saint-Just
(p. 102)

▸ Parcs authentiques et beaux panoramas sur Lyon
▸ Ambiance de village

Sur la colline de Fourvière, ce quartier tranquille est apprécié pour son ambiance de village. On s'y dit volontiers bonjour dans la rue, on prend le temps, on flâne, on fait son marché… De jolis parcs un peu oubliés y constituent de très agréables cadres pour un pique-nique, à seulement deux pas du site archéologique et de la basilique de Fourvière… beaucoup plus fréquentés.

© BASILE VAILLANT

Pause devant la fresque des Lyonnais (p. 147)

De Vaise à Saint-Rambert-l'Île Barbe : la campagne à la ville (p. 108)

▸ Terrasses décontractées
▸ Dernier paysan de Lyon

Tout comme Saint-Just, Vaise est un quartier un peu reculé qui cultive son atmosphère villageoise. On sirote un verre place de Paris, on va voir les expositions du fort. Et pourquoi pas un pique-nique sur la jolie île Barbe ? Peu de gens le savent, mais à deux pas de là se trouve le dernier paysan de Lyon et sa ferme de 16 hectares, où vous pourrez acheter directement des fruits et légumes frais.

Gerland et États-Unis : sur les traces de Tony Garnier (p. 116)

▸ Très beaux murs peints
▸ Architecture années 1920

L'architecte Tony Garnier a marqué l'urbanisme lyonnais au moment de l'expansion de la ville vers l'est, dans les années 1920. Une balade en deux temps dans les quartiers de Gerland et des États-Unis, résidentiels et assez bétonnés (soyez prévenus), vous fera découvrir son œuvre. Dans un musée à ciel ouvert, vous verrez de très beaux murs peints réalisés en l'honneur de l'architecte, à l'initiative des habitants.

D'autres idées pour vivre le Lyon des Lyonnais :

En hiver, skier sur la piste de la Sarra (p. 107)

Faire les puces du Canal (p. 121)

Refaire le monde sur la place Bellevue (p. 68)

Bruncher aux Subsistances (p. 35)

Acheter de drôles de graines et des herbes au marché bio de la Croix-Rousse (p. 67)

Manger des huîtres ou des escargots aux Halles (p. 128)

Assister l'été aux projections à l'Institut Lumière (p. 114)

Lyon
en 4 jours

1er jour

Tôt le matin, commencez par monter jusqu'à la **basilique Notre-Dame de Fourvière** (p. 98) et embrassez du regard toute la ville. Visitez l'édifice, puis allez voir **le site archéologique gallo-romain** (p. 100). Descendez dans le Vieux-Lyon par la **montée du Gourguillon** (p. 85, 103) et déjeunez à Saint-Jean dans l'authentique bouchon lyonnais **Aux Trois Maries** (p. 92). Flânez un peu dans les **traboules** (p. 134) après le repas.

Rejoignez la Presqu'île. Depuis la **place Bellecour** (p. 28), parcourez-la en progressant vers le nord. Admirez la **place des Jacobins** (p. 31), le **théâtre des Célestins** (p. 30), l'**Opéra** (p. 30), et la **place des Terreaux** (p. 26). Prévoyez 2 heures pour découvrir les collections du **musée des Beaux-Arts** (p. 24). Gagnez ensuite les **pentes de la Croix-Rousse** (p. 68), visitez les **galeries d'art** (p. 76, 121) et les nombreuses boutiques du **Village des Créateurs** (p. 76) .

Le soir venu, montez sur le plateau de la Croix-Rousse et sirotez un verre près du **Gros-Caillou** ou sur la place Colbert (p. 64). À l'heure de dîner, pour un tête-à-tête, optez par exemple pour les **Demoiselles de Rochefort** (p. 74) ou **La Bonâme de Bruno** (p. 72).

2e jour

Consacrez le deuxième jour à la découverte de la **rive gauche** (p. 110) de Lyon. Commencez votre journée par une belle promenade au **parc de la Tête d'Or** (p. 112). Allez voir les animaux de la plaine africaine, les serres, les roseraies. Prévoyez un pique-nique s'il fait beau, ou bien déjeunez dans le quartier proche des Brotteaux, à la **Brasserie des Brotteaux** (p. 119) par exemple.

Après avoir admiré **l'ancienne gare des Brotteaux** (p. 119) et les immeubles bourgeois du quartier, rappelez-vous que vous êtes dans la ville qui a vu naître le cinéma. Filez donc à l'**Institut Lumière** (p. 114) pour tout savoir sur l'invention des frères Lumière et les techniques du 7e art. Après cette visite, place à la découverte du quartier de **la Guillotière** (p. 121), carrefour des cultures. Vous trouverez des bars sympathiques pour vous désaltérer, ainsi que des restaurants à prix doux. Essayez par exemple **Le Bistrot des Maquignons** (p. 123).

Le soir venu, allez donc faire la fête sur les péniches-bars des berges du Rhône. Testez les rhums arrangés de **La Passagère** (p. 125). Renseignez-vous sur les concerts de **La Marquise** (p. 125). Et prolongez la nuit au **Sirius** (p. 124).

Votre temps vous est compté ?
Nous avons concocté pour vous des itinéraires détaillés qui vous permettront d'optimiser le peu de temps dont vous disposez.

3e jour

☀ Direction La Confluence pour une plongée dans l'architecture du futur. Au bout de la Presqu'île, là où se rejoignent la Saône et le Rhône, un nouveau quartier sort de terre. Allez voir le **Cube Orange** (p. 55), **la Sucrière** (p. 55) et les drôles de **logements du quai Riboud** (p. 56). Fin 2014, le **musée des Confluences** (p. 54) renforcera encore l'attractivité de ce quartier. Le midi, allez déjeuner à la terrasse du **Burger and Wine** (p. 58).

☀ Comparez les époques, et partez voir l'héritage architectural laissé par Tony Garnier à Lyon, réalisé en grande partie dans les années 1920. Allez d'abord à **Gerland** (p. 116) voir la **Halle Tony-Garnier** (p. 117) et le **stade de Gerland** (p. 117). Faites une pause au **parc de Gerland** (p. 117). Puis enchaînez avec le **musée à ciel ouvert du quartier des États-Unis** (p. 117) et ses immenses fresques en l'honneur de l'architecte.

☽ Le soir venu, allez dîner en Presqu'île. Essayez par exemple le **Palégrié** (p. 38) et ses délices bistronomiques. Admirez les illuminations nocturnes de la ville et faites une belle balade digestive le long des quais et autour des principaux monuments et des ponts.

4e jour

☀ Pour votre dernier jour à Lyon, faites donc des emplettes en Presqu'île et à la Croix-Rousse. Pour rêver un peu, allez voir les boutiques du **Carré d'Or** (p. 49) et celles du **passage de l'Argue** (p. 51). Découvrez ensuite les boutiques vintage et celles des **jeunes créateurs des pentes de la Croix-Rousse et du plateau** (p. 62). Allez déjeuner au **Café Cousu** (p. 63) ou au restaurant végétarien **Toutes les Couleurs** (p. 73).

☀ Avant de quitter Lyon, allez explorer **Vaise** (p. 109), quartier à part et un peu bohème, puis **Saint-Rambert et l'île Barbe** (p. 109). Goûtez la fameuse tarte aux pralines de la **boulangerie Jocteur** (p. 109), puis allez voir dans la **rue de la Mignonne** (p. 109) les maisons de campagne conçues par Tony Garnier en bord de Saône au début du XXe siècle. Sur l'Île Barbe, la **chapelle Notre-Dame de Grâce** (p. 109), qui date du XIIe siècle, vaut bien un petit coup d'œil.

☽ Pour votre dernière soirée, faites donc honneur à la gastronomie lyonnaise et sacrifiez au dieu du bouchon ! Allez goûter gratons, tablier de sapeur et autres joues de porc au **Musée** (p. 39), près du **musée de l'Imprimerie** (p. 35). Le patron vous fera visiter une dernière traboule pour la route.

Lyon
Les quartiers

La Croix-Rousse et les pentes (p. 60)
Surplombant la Presqu'île, "la colline qui travaille" est un village à part. De boutiques de créateurs en galeries d'arts, d'apéros en terrasse en flâneries dans les parcs étagés, la vie y est douce, et souvent rythmée par un certain militantisme.

Fourvière (p. 96)
Traversée par de nombreux parcs, la colline de Fourvière offre de magnifiques points de vue sur Lyon et les toits de Saint-Jean.

◉ Les incontournables
Basilique Notre-Dame

Site archéologique et musée gallo-romain

La Confluence (p. 52)
À la pointe sud de la Presqu'île, Lyon se réinvente : les anciennes friches industrielles laissent place à un quartier futuriste. Les férus d'architecture moderne et déconstructiviste apprécieront !

Place des Terreaux et musée des Beaux-Arts

Basilique Notre-Dame

Musée Gadagne

Site archéologique et musée gallo-romain

Primatiale Saint-Jean

Parc de
la Tête d'Or

Le Vieux Lyon (p. 78)
Perle de la Renaissance,
le Vieux Lyon témoigne de
l'essor économique de la ville
aux XVe et XVIe siècles.
Au programme : somptueux
hôtels particuliers, galeries
italiennes, de belles rues
médiévales... et les célèbres
traboules !

⊙ Les incontournables

Primatiale Saint-Jean

Musée Gadagne

Institut
Lumière

La Rive Gauche (p. 110)
À l'est du Rhône,
Lyon compile une mosaïque
de quartiers disparates :
les Brotteaux, secteur
plutôt huppé, la Part-Dieu,
le quartier d'affaires,
la très cosmopolite
Guillotière... Vous y trouverez
beaucoup de très bons
musées.

⊙ Les incontournables

Parc de la Tête-d'Or

Institut Lumière

La Presqu'île (p. 22)
Le centre ville de Lyon est
l'endroit idéal pour faire du
shopping et pour les sorties
culturelles. On y trouve aussi
de très bonnes tables.

⊙ Les incontournables

Place des Terreaux

Musée des Beaux-Arts

Explorer
Lyon

Vaut le détour

Détente sur les berges du Rhône
© BASILE VAILLANT

Explorer

La Presqu'île

Prise en tenaille entre le Rhône, à l'est, et la Saône, à l'ouest, la Presqu'île s'étend du pied de la colline de la Croix-Rousse, au nord, à La Confluence, au sud. C'est le centre-ville de Lyon : une zone très commerçante, avec de longues rues piétonnes où l'on trouve quantité de boutiques, de restaurants et de bars. La présence de nombreux théâtres, de cinémas et de l'Opéra en fait aussi un pivot culturel.

L'essentiel en un jour

☀ Commencez votre exploration en vous rendant sur la **place des Terreaux** (p. 26). Admirez la **fontaine Bartholdi**, puis l'**Hôtel-de-Ville** (p. 28), d'inspiration classique, et le Palais Saint-Pierre au sud, qui abrite le **musée des Beaux-Arts** (p. 24). Consacrez une demi-journée à en découvrir les trésors. Déjeunez au **Palégrié** (p. 38), l'une des bonnes tables récemment ouvertes.

☀ Si vous voulez faire des emplettes, direction le **Carré d'Or** (p. 49). Soie, chapeliers, brocante... Lyon compte un bon nombre de belles boutiques très tentantes ! Au fil de votre balade, ne manquez pas de vous émerveiller devant les splendeurs architecturales de la ville : l'**Opéra** (p. 30), la **place des Jacobins et sa fontaine** (p. 31), le **théâtre des Célestins** (p. 30). Si vous le pouvez, essayez de visiter l'intérieur de ce magnifique théâtre à l'italienne. Poussez ensuite jusqu'à la vaste **place Bellecour** (p. 28) et la rue Victor Hugo.

☾ Quand la nuit tombe, Lyon se pare de mille lumières, que l'on voit mieux depuis les ponts qui bordent la Presqu'île : le Grand Hôtel-Dieu, l'Hôtel-de-Ville, les flèches de l'église Saint-Nizier... Baladez-vous dans la rue Mercière, rue des imprimeurs et des libraires aux XVe et XVIe siècles, la rue de la République, la rue de l'Arbre-Sec, très animée en soirée.... Pour un dîner entre amis, rendez-vous au **Butcher** (p. 39) ou, pour un authentique bouchon, au **Musée** (p. 39).

 Les incontournables

Musée des Beaux-Arts (p. 24)

Place des Terreaux (p. 26)

♥ Le meilleur du quartier

Shopping, brocantes et marchés

Marché Saint-Antoine (p. 50)

Passage de l'Argue (p. 51)

Bouquinistes (p. 51)

Marché aux animaux (p. 51)

Restaurants

Le Palégrié (p. 38)

Le Musée (p. 39)

Le Garet (p. 40)

Le Potager des Halles (p. 41)

Édifices et architecture

Opéra (p. 30)

Hôtel-de-Ville (p. 28)

Place des Jacobins (p. 31)

Théâtre des Célestins (p. 30)

Basilique Saint-Martin d'Ainay (p. 32)

Comment y aller

Ⓜ **Métro** A, du nord au sud : Hôtel-de-Ville, Cordeliers, Bellecour, Ampère et Perrache. La ligne D sillonne la Presqu'île d'est en ouest ; un seul arrêt à Bellecour.

Les incontournables
Musée des Beaux-Arts

Installé depuis 1803 dans le palais Saint-Pierre, un ancien couvent au très beau jardin, le musée des Beaux-Arts renferme 70 salles. Constituée à partir de nombreuses donations, sa collection, l'une des plus riches d'Europe, se compose de deux sections majeures : une consacrée à l'Antiquité (l'Égypte ancienne notamment) et une autre sur la peinture du XIVe au XXe siècle.

👁 Plan F4

📞 04 72 10 17 40

www.mba-lyon.fr

20 place des Terreaux, 1er

tarif plein/réduit 7/4 €, gratuit - 18 ans et avec la Lyon City Card

🕐 lun, mer-jeu, sam-dim 10h-18h, ven 10h30-18h

Ⓜ Hôtel-de-Ville

Carpeaux au travail, d'Antoine Bourdelle, une des statues du jardin du musée des Beaux-Arts

À ne pas manquer

L'Antiquité

Le premier étage couvre la période de l'Antiquité, à commencer par l'Égypte des pharaons. Une impressionnante collection de sarcophages et les imposantes portes du temple de Médamoud font figure de pièces maîtresses. Sont également exposés nombre d'objets de la vie quotidienne. Vient ensuite la section consacrée à la Rome et à la Grèce antiques. La collection d'urnes étrusques des IIe et Ier siècles av. J.-C. est exceptionnelle. Ne manquez pas la salle abritant une *korê*, une statue de femme, du VIe siècle venant de l'Acropole d'Athènes ou le "trésor des Célestins", une cassette contenant près de 60 pièces rares, découverte lors de travaux dans le théâtre des Célestins (p. 30) en 2003.

La peinture européenne

Au deuxième étage, à vous l'histoire de la peinture européenne du XIVe au XXe siècle : la peinture italienne, avec notamment *L'Ascension du Christ*, retable du Pérugin (XVIe siècle), et des œuvres de Véronèse et de Guido ; la peinture flamande et hollandaise avec Rubens et Rembrandt ; les toiles de l'école française, avec *La Monomane de l'envie* de Géricault, une *Tamise* de Monet ou le *Nu aux bras rouges* de Picasso. De nombreux artistes lyonnais sont mis à l'honneur, notamment Chenavard, dont le monumentale *Bois sacré* se trouve dans l'escalier.

Objets d'art

Au deuxième étage toujours, une vaste collection d'objets d'art regroupant sculptures et art décoratif du Moyen Âge et de la Renaissance est répartie dans 17 salles : ivoires, faïences, orfèvrerie, grès, ainsi que des pièces Art nouveau et Art déco. La chambre d'Hector Guimard, léguée par sa veuve, est particulièrement intéressante.

☑ À savoir

▶ Pour avoir un bel aperçu des collections, prévoyez une bonne demi-journée. Ou bien prévoyez deux visites de 2h, une pour chacun des étages. Le billet d'accès aux collections est daté et permet d'entrer et de sortir du musée pendant la journée.

▶ L'audioguide des collections est gratuit sur présentation d'un billet d'entrée (dans la limite des places disponibles). Visites commentées : 3 €/pers.

▶ Une application smartphone gratuite avec audioguide et vidéos propose 5 parcours thématiques.

✗ Une petite faim ?

Au premier étage, un café-restaurant, **Les Terrasses Saint-Pierre** (p. 38), offre une belle vue sur le jardin du Palais (p. 31) et une sympathique pause gourmande.
Les brunchs y sont très agréables.

Les incontournables
Place des Terreaux

Bordée par l'Hôtel-de-Ville à l'est et
le musée des Beaux-Arts au sud, flanquée
de la fontaine Bartholdi au nord, la place
des Terreaux a été bâtie sur les anciens fossés
des remparts. Entièrement revisitée par
Daniel Buren et Christian Drevet en 1994,
c'est l'un des pôles de la vie culturelle lyonnaise,
et l'une des places symboliques de la ville. De là,
on peut partir à l'assaut de la Croix-Rousse
via la rue Romarin.

Plan F4

M Hôtel-de-Ville

La fontaine Bartholdi

À ne pas manquer

La fontaine Bartholdi

Au centre de la place, difficile de manquer la superbe fontaine, réalisée par Bartholdi en 1892. À l'origine destinée à la ville de Bordeaux, la statue alors nommée *Char de la Garonne* représente une femme menant un quadrige figurant la Garonne et ses quatre affluents se jetant dans l'océan. Devenue trop chère pour Bordeaux, elle devint le *Char de la Liberté* et c'est finalement Antoine Gailleton, le maire de Lyon, qui l'acheta. Elle fut alors installée devant l'Hôtel-de-Ville. La statue (qui pèse 21 tonnes !) a été déplacée au nord de la place lors du son réaménagement par Drevet et Buren dans les années 1990, afin de créer un parking.

Les colonnes et les mini-fontaines

En 1994, l'architecte et urbaniste Christian Drevet et l'artiste Daniel Buren sont missionnés pour réinventer la place des Terreaux. Ils créent alors un ensemble ultra-moderne : la place est recouverte de dalles grises et ornée de 14 piliers et de 69 minifontaines au niveau du sol (le nombre 69 évoquant... le numéro du département) illuminées la nuit. Toutefois, lorsque les jets d'eau ne fonctionnent pas (ce qui arrive très souvent, notamment à cause du gel !), le lieu perd une grande partie de son charme, hélas...

Les illuminations nocturnes

Si vous devez choisir un seul moment pour voir la place des Terreaux, alors venez de nuit. En plus d'être le point de rencontre des noctambules lyonnais, la place est parée de très belles illuminations, au sol comme sur les bâtisses, ou même depuis les bâtiments, éclairés de l'intérieur.

☑ **À savoir**

▶ Lors de la **Fête des Lumières** (p. 13), la place est souvent l'endroit où se massent le plus de spectateurs, car les jeux de lumières sur l'Hôtel-de-Ville et le Palais Saint-Pierre sont saisissants. La circulation piétonne est alors très contrôlée et il faut parfois patienter plus d'une demi-heure – mais le spectacle en vaut la peine !

▶ Les dimanches soir en été, les amateurs de salsa et de danses latines aiment à se retrouver sur la place.

✕ **Une petite faim ?**

Au nord de la place sont alignés des bars et des restaurants très touristiques. Pour combler un petit creux, on vous conseille plutôt les **Terrasses Saint-Pierre** (p. 38) ou bien les délicieux croque-monsieur de la joyeuse équipe de **Crock'n'roll** (p. 36), à deux pas de là.

Voir

Place Bellecour AU CŒUR DE LA VILLE

 Plan F7

Une place tout à fait unique, à bien des égards ! Ses proportions d'abord (310 m sur 200 m) en font l'une des plus grandes d'Europe. Sa situation ensuite, au cœur de la ville, la positionne comme un lieu incontournable. Son importance historique, enfin, la rend particulièrement chère aux Lyonnais.

Ce qui était à l'origine le jardin clos de l'archevêché a été transformé par Henri IV en 1604 en lieu de manœuvre militaire pour ses troupes. La place n'est définitivement acquise à la ville qu'au début du XVIIIe siècle et prend alors le nom de "place Royale". Lors de la Révolution, nombre des bâtiments qui l'entourent sont détruits pour punir Lyon de ses attachements royalistes et ne seront reconstruits qu'au XIXe siècle. L'un des rares immeubles du XVIIIe encore debout se dresse au nord-est de la place en allant vers le pont Bonaparte. Repérez sa façade, plus foncée que celle de ses voisins.

Au centre de la place trône une statue équestre de Louis XIV, *Le Cheval de bronze* (voir encadré ci-dessous). Une autre statue, représentant Saint-Exupéry, l'un des illustres Lyonnais, et son Petit Prince, a été élevée à l'angle sud-ouest de la place en 2000. (Ⓜ Bellecour)

Hôtel-de-Ville ARCHITECTURE CLASSIQUE

 Plan G4

Sur le côté est de la place des Terreaux (p. 26) se trouve l'Hôtel-de-Ville, classé

Comprendre
Un cavalier contesté

Au centre de la place Bellecour se dressait à l'origine une statue de Louis XIV, œuvre de Desjardins, encadrée par des figurations du Rhône et de la Saône datant de 1715. Elle fut détruite pendant la Révolution. En 1825, une nouvelle statue équestre du même roi fut réalisée par François-Frédéric Lemot. La légende veut que Lemot se soit suicidé en se rendant compte qu'il avait oublié de mettre des étriers au cavalier sur sa statue. La réalité est un peu différente : Lemot mourut la conscience tranquille des années plus tard, ayant sciemment représenté Louis XIV en César, à la romaine, et donc sans selle ni étriers. En 1871, on projeta de détruire à nouveau la statue mais, finalement, on abandonna l'idée, en y laissant une inscription désignant le sculpteur mais pas le cavalier. La statue devint alors, et est encore aujourd'hui pour les Lyonnais, *Le Cheval de bronze*. Ironique pour une ville jugée trop royaliste pendant la Révolution !

Statue de Louis XIV sur la place Bellecour

monument historique. Sa construction date de 1646, mais le bâtiment actuel est le fruit d'une succession de rénovations et d'ajouts de différents styles. L'édifice d'origine, conçu par Simon Maupin, est de style Louis XIII, fondé sur un plan rectangulaire, avec cour et jardins intérieurs.

La première rénovation fait suite à un incendie qui, trente-trois ans après son édification, le détruisit en partie. La façade fut restaurée au XIXe siècle et prit son apparence actuelle. Elle fut enrichie de deux pavillons d'angle. La statue d'Henri IV, au centre, fut érigée en 1829 pour remplacer celle de Louis XIV détruite pendant la Révolution. Le beffroi central, qui comporte l'un des plus grands carillons d'Europe avec ses 65 cloches, est surmonté d'un dôme doré. La cour intérieure est agrémentée d'une fontaine et d'un bassin ainsi que de statues de la fin du XIXe siècle.

L'intérieur même du bâtiment est un mélange de décoration du XVIIe siècle – notamment les plafonds peints de certaines salles – et de rénovations effectuées sous le second Empire. Dorures et superbes lambris sculptés ornent les différents salons. L'édifice accueille le pouvoir municipal depuis le début du XVIIe siècle.

Les visites ne sont possibles que lors des Journées du patrimoine. Le soir, le bâtiment est illuminé depuis l'intérieur. (☏ 04 72 10 30 30 ; place de la Comédie, 1er ; Ⓜ Hôtel-de-Ville)

© CLAIRE ANGOT

La façade de l'Opéra

Opéra

ARCHITECTURE CONTEMPORAINE

3 Plan G4

Son dôme hante toutes les vues panoramiques de la ville ! Superbe mariage de style ancien et moderne, l'Opéra est l'un des emblèmes de Lyon depuis sa reconstruction en 1993 par l'architecte Jean Nouvel. Le théâtre d'origine avait été conçu en 1831 par les architectes Chenavard et Pollet dans un style néoclassique, après la destruction d'un premier édifice, œuvre de Soufflot en 1756. Jean Nouvel a conservé les quatre murs historiques (ainsi que le foyer) et a glissé à l'intérieur une structure ultra-contemporaine.

La façade originelle, à arcades, est ornée des statues de huit muses. Deux explications, probablement complémentaires, justifient l'absence d'Uranie, la neuvième muse : on évoque le fait que Chenavard n'avait prévu que 8 socles de façon à établir une symétrie sur la façade, mais aussi qu'Uranie étant la muse de l'astronomie et de l'astrologie, elle est la seule à ne pas avoir de lien avec le théâtre.

L'intérieur est un mélange de dominante noire et d'éclairage rouge. L'entrée de la grande salle est précédée d'un sas dont les murs sont recouverts de soie rouge. La salle elle-même est suspendue au-dessus du sol grâce à un incroyable dispositif technique.

La programmation comprend opéras, concerts et danse. L'office du tourisme (p. 159) propose de découvrir le bâtiment lors de **visites guidées** (📞 04 72 77 69 69 ; www.lyon-france.com ; 10 €, gratuit - 8 ans et avec la Lyon City Card ; 🕐 juil-août jeu et sam 13h et 17h, appeler pour confirmer), hors représentations. (📞 0826 305 325 ; www.opera-lyon.com ; place de la Comédie, 1er ; Ⓜ Hôtel-de-Ville)

Théâtre des Célestins

À L'ITALIENNE

4 Plan F6

Un théâtre à l'italienne grandiose, à la salle rouge et or. Le bâtiment d'origine, couvent du début du XVe siècle, fut entièrement détruit par un incendie en 1871. Reconstruit par l'architecte Gaspard André (qui s'occupa aussi de la fontaine des Jacobins, p. 31), il fut achevé en 1877. Hélas, en 1880, un deuxième incendie causa à nouveau de gros dommages et Gaspard André entreprit de recommencer son travail. Le théâtre actuel fut terminé en 1881.

Sa façade comporte au centre trois arcades surmontées de trois hautes fenêtres séparées par des colonnes de marbre. À leurs côtés, deux statues de 1883 symbolisent la Comédie et la Tragédie. À l'intérieur, on peut admirer des peintures du XIXe siècle.

Malgré son histoire mouvementée, le théâtre présenta, dès 1792, des pièces de qualité – drames et vaudevilles uniquement. Après un déclin et une baisse significative de sa fréquentation, le théâtre renaît au début du XXe siècle : des œuvres très célèbres y sont créées avant même d'apparaître sur la scène parisienne. Au nombre d'entre elles : *Knock* de Jules Romains ou encore *Siegfried* de Jean Giraudoux. Les Célestins sont alors considérés comme le premier théâtre de province pour ses créations audacieuses.

Aujourd'hui, il reste un lieu majeur de la scène théâtrale lyonnaise, pour ses représentations comme ses créations.

L'office du tourisme (p. 159) propose des **visites guidées** (☏ 04 72 77 69 69 ; www.lyon-france.com ; tarif adulte/enfant 10/5 €, gratuit - 8 ans et avec la Lyon City Card ; ☉ visite 3 sam par trimestre) du théâtre. (☏ 04 72 77 40 00 ; www.celestins-lyon.org ; 4 rue Charles-Dullin, 2e ; Ⓜ Bellecour)

Jardin du palais Saint-Pierre   VERDURE ET SCULPTURES

Voir Musée des Beaux-Arts ◉ Plan F4

Le palais Saint-Pierre, ancien cloître d'un couvent du VIIe siècle, rénové au XVIIe siècle, abrite aujourd'hui le musée des Beaux-Arts (p. 24).

Dans sa cour intérieure rectangulaire, un jardin en libre accès a été aménagé. C'est un lieu étonnant de sérénité. Il comporte un bassin central avec une fontaine et de superbes sculptures – au nombre desquelles *Adam* et *L'Âge d'airain* de Rodin, mais aussi des œuvres de Bourdelle et de Carpeaux.

Même si vous ne comptez pas visiter le musée (ce en quoi vous auriez tort !), n'hésitez pas à vous accorder une pause dans ce jardin, ou encore au café Les Terrasses Saint-Pierre (p. 38), à l'étage du musée, où l'on se sent à l'abri de l'agitation de la ville. (☏ 04 72 10 17 56 ; 20 place des Terreaux, 1er ; ☉ tlj 10h-18h ; entrée libre ; Ⓜ Hôtel-de-Ville)

Place des Jacobins   FONTAINE

5 ◉ Plan F6

Contrairement à ce que son nom pourrait laisser croire, l'histoire de la place n'a rien à voir avec la Révolution française. Sur son pourtour s'élevaient à l'origine un couvent dominicain (les dominicains étaient aussi appelés jacobins) avec son cimetière et une église. Le tout fut détruit lors de la Révolution. Aujourd'hui, la magnifique fontaine centrale confère tout son intérêt à la place. Construite en 1877 par Gaspard André et Charles Delaplanche, elle est ornée de statues de sirènes dodues. Le dôme sur colonnes qui les surplombe abrite les statues de quatre artistes lyonnais : Philibert Delorme (architecte), Gérard Audran (graveur), Guillaume Coustou (sculpteur) et Hippolyte Flandrin (peintre).

En allant admirer la fontaine, prenez garde aux voitures, la circulation autour de cette place est un brin difficile pour les piétons. (Ⓜ Bellecour)

Basilique Saint-Martin d'Ainay ROMANE

6 ⊙ Plan E8

Cette église romane, style rarissime à Lyon, figurait sur la toute première liste, établie par Mérimée en 1840, des édifices classés monuments historiques en France.

Ancien monastère bénédictin consacré par le pape Pascal II en 1107, c'était à l'origine une très grande construction, avec jardins. Les rois de France, d'Henri IV à Louis XIV, y séjournèrent presque tous, mais la Révolution lui coûta une grande partie de ses bâtiments et de son importance au niveau national. Des ajouts néoromans au XIXe siècle et son classement lui redonnèrent cependant de sa superbe.

La basilique est un bâtiment imposant. Sa façade est composée de quatre niveaux avec, au centre, un clocher-porche du XIe siècle orné de petites pyramides et encadré par des portes latérales du XIXe. Au premier, trois arcs brisés surmontés d'arcatures aveugles. Les deux niveaux suivants ne s'élèvent qu'au-dessus de l'arc central. Entre les deux, on remarque une frise d'animaux au-dessus de la croix en briques.

L'église est soutenue par des colonnes romaines récupérées sur le site archéologique de Fourvière. En entrant, la chapelle de la Vierge, à droite, et la chapelle Saint-Joseph, à gauche, datent toutes deux du XIXe. En revanche, la chapelle Sainte-Blandine, au fond à droite, et la chapelle Saint-Michel, au fond à gauche, remontent respectivement au XIe et au XVe siècle. À ne pas manquer, les chapiteaux de part et d'autre de l'autel du chœur, l'un sur la droite représentant Adam et Ève, et l'autre sur la gauche Caïn et Abel. Intéressants également, les bas-reliefs juste à l'entrée du chœur et les peintures murales de l'abside réalisées en 1855 par Flandrin, l'un des peintres lyonnais les plus célèbres.

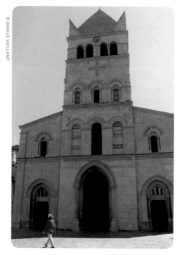

© BASILE VAILLANT

Basilique Saint-Martin d'Ainay

Le quartier résidentiel d'Ainay, aux abords de la basilique, est traditionnellement habité par la haute bourgeoisie lyonnaise. (11 rue Bourgelat, 2ᵉ ; ☺ lun-sam 8h30-12h et 14h30-18h ; Ⓜ Ampère)

Clocher de la Charité
ANCIEN HOSPICE

7 ⊙ Plan F7

Les Lyonnais savent se faire entendre quand il s'agit de préserver leur patrimoine. Pour preuve, ce clocher sans église, toujours debout au sud-est de la place Bellecour aux habitants qui se sont opposés à sa destruction.

Élevé en 1665, il complétait à l'origine la chapelle de l'hôpital de la Charité, vaste ensemble construit en 1617 qui accueillait indigents et orphelins. Il fut décidé en 1930 de transférer l'hôpital à Grange-Blanche, plus au sud-est, de l'autre côté du Rhône, et donc de détruire les bâtiments existants. Grâce à une pétition et à une vaste mobilisation, le clocher continue aujourd'hui à dominer la place Antonin-Poncet. (Place Antonin-Poncet, 2ᵉ ; Ⓜ Bellecour)

Église Saint-Nizier
GOTHIQUE

8 ⊙ Plan F5

L'église actuelle, construite sur le site d'autres églises successivement détruites depuis l'époque romaine, fut édifiée entre le XVᵉ et le XVIᵉ siècle dans le style gothique flamboyant. Elle est dédiée à saint Nizier, 28ᵉ évêque de Lyon, à qui l'on attribue de nombreux miracles. Le bâtiment est facilement

Repos sous le regard du clocher de la Charité

reconnaissable grâce à ses deux clochers aux flèches asymétriques. Le clocher en briques roses, de style gothique, fut élevé en 1454, alors que le clocher sud fut construit quatre siècles plus tard. Parmi les ajouts tardifs, le superbe portail Renaissance présente une demi-voûte à caissons.

À l'intérieur, le maître-autel a été ajouté au XVIIIᵉ siècle et le mobilier néogothique, au siècle suivant. Dans la crypte, les mosaïques de la Vierge et des martyrs, conçues par Gaspard Poncet en 1900, méritent le coup d'œil, de même que la statue baroque de Notre-Dame-des-Grâces exécutée par le sculpteur Antoine Coysevox (1640-1720).

Cette église est de longue date considérée comme un lieu privilégié d'asile et de protection. Elle fut occupée en 1975 par des prostituées réclamant la fin des pressions policières. Plus récemment, en 2002, des sans-papiers s'y sont réfugiés pour demander leur régularisation. (Place Saint-Nizier, 2ᵉ ; ☉lun 14h-18h, mar-dim 9h-18h ; Ⓜ Cordeliers)

Grand Hôtel-Dieu
ANCIENS HOSPICES

9 Plan G6

Classé Monument historique en 2011, cet ancien hôpital fut édifié au bord du Rhône en 1184 par les frères Pontife, puis appelé "Hôtel-Dieu de Notre Dame de Piété du Pont du Rhône" après agrandissement en 1493. François Rabelais s'installa à Lyon en 1532 et y exerça. Germain Soufflot (1713-1780) refit la façade (375 m de long) sur le Rhône de 1741 à 1748 et le dôme en 1755, le reste fut terminé en 1825. L'hôpital

de l'Hôtel-Dieu, le musée des Hospices Civils et la chapelle ont fermé fin 2010. En attendant l'ouverture du "musée de la Santé", vers 2016, des expositions itinérantes sont organisées. Le projet de réhabilitation prévoit la construction d'un hôtel de luxe sous le grand dôme. (1 place de l'Hôpital, 2ᵉ ; Ⓜ Bellecour)

Musée des Tissus et des Arts décoratifs
DEUX MUSÉES EN UN

10 Plan F8

Le musée des Tissus, installé dans l'Hôtel-de-Villeroy (XVIIIᵉ siècle), est en grande partie consacré à l'histoire des tissus et à l'art de la soierie à Lyon, mais la collection traite plus largement du tissu à travers les époques et les pays. L'Orient et l'Occident y sont représentés avec tapisseries, tissus

---

Comprendre
La possibilité d'une (presqu')île

Si l'occupation de la Presqu'île remonte à l'époque romaine, il faut attendre le XIᵉ siècle pour que cette partie de Lyon soit vraiment investie et reliée au reste de Lyon. Le site est petit à petit asséché jusqu'au niveau de l'actuelle gare de Perrache et il est finalement relié à la colline de Fourvière par un pont à la fin du XIᵉ siècle. Plus tard, à la Renaissance, ce secteur devient un centre marchand important et le pôle majeur de l'imprimerie lyonnaise et française. De larges artères, telles que la rue de la République et la rue Édouard-Herriot, sont percées au cours du XIXᵉ siècle par le préfet Vaïsse. C'est à ces aménagements majeurs que la Presqu'île doit son aspect actuel. L'édification du palais de la Bourse en 1862 en fait également un centre financier. À la fin du XIXᵉ siècle, les travaux de drainage de l'ingénieur Perrache étendent la Presqu'île au sud jusqu'au confluent de la Saône et du Rhône. Aujourd'hui, c'est à la Confluence (p. 52) que la Presqu'île se réinvente.

et tissages. Ainsi, on découvre des collections coptes des premiers temps du christianisme, de Perse-Iran et de Turquie ottomane, ou encore de l'Inde du XVIIIe siècle. Différents métiers à tisser sont aussi exposés. La section des costumes comprend une vaste partie dévolue aux vêtements liturgiques, mais aussi des costumes civils de la Renaissance à nos jours. Parmi les grands noms actuels, on remarquera Christian Lacroix et Ted Lapidus.

Outre la collection permanente, le musée propose régulièrement des expositions temporaires de très bonne qualité. Il abrite également un atelier de restauration des tissus.

Le musée des Arts décoratifs, situé dans le très bel hôtel de Lacroix-Laval (1739), abrite une collection impressionnante qui complète agréablement celle du musée des Tissus auquel il est associé. Le musée permet de voyager à travers les époques et les styles, des tapisseries du Moyen Âge aux créations contemporaines.

La collection comprend meubles, peintures, soieries, tapisseries et divers objets décoratifs. On remarquera les œuvres des soyeux lyonnais Tassinari-Chatel, Prelle et Quenin-Lelièvre. À noter aussi : la collection de pendules et celle d'objets en marqueterie de paille du XVIIe, du XVIIIe et du début du XIXe siècle, unique en France. Des pièces ont été reconstituées, mettant les tissus et le mobilier en situation. Dans l'une d'elles, au 1er étage, une tapisserie en papier rabouté imprimé en couleur présente une vue de la ville de 1826, et recouvre les quatre murs de la salle. (☎04 78 38 42 00 ; www.musee-des-tissus.com ; 34 rue de la Charité, 2e ; tarif plein/réduit 10/7,50 €, 8/5,50 € après 16h, gratuit -12 ans et avec la Lyon City Card ; ⊙mar-dim 10h-17h30 ; Ⓜ Ampère-Victor Hugo)

Musée de l'Imprimerie

HISTOIRE DU LIVRE

11 ◉ Plan G5

Un petit musée – situé dans un beau bâtiment de la fin du XVe siècle – riche d'enseignements sur l'histoire de Lyon. Aux XVe et XVIe siècles, la ville fut un important centre pour le livre : c'est là que fut imprimé le premier ouvrage en français, *La Légende dorée* de Jacques de Voragine, en 1476. On peut admirer des incunables, des gravures, des illustrations et des lithographies, et découvrir de grands imprimeurs tels que Sébastien Gryphe, Jean de Tournes et Étienne Dolet. Tous les métiers de l'imprimerie et leur évolution au fil des siècles sont présentés. Des salles plus récentes sont consacrées à l'histoire de l'illustration. Le musée héberge un atelier d'imprimerie, toujours en activité. (☎04 78 37 65 98 ; www.imprimerie.lyon.fr ; 13 rue de la Poulaillerie, 2e ; 5/3 €, gratuit -26 ans et avec la Lyon City Card ; ⊙mer-dim 10h30-18h ; Ⓜ Cordeliers)

Les Subsistances

CRÉATION ARTISTIQUE

12 ◉ Plan C4

Ce laboratoire de création est un projet unique dans le domaine artistique. Installé dans un ancien couvent du XVIIe siècle utilisé par l'armée (à laquelle il doit son nom car il accueillait les subsistances militaires) à partir de 1807, les Subsistances offrent aux artistes du spectacle vivant (danse, cirque, théâtre et musique) un hébergement temporaire et les moyens financiers de réaliser leurs projets. On peut y assister à des spectacles ainsi qu'à des conférences et à des débats. Outre les salles de spectacle, ce lieu immense accueille une salle d'exposition, des chambres pour les artistes et des ateliers de travail, ainsi que, depuis peu, l'École des beaux-arts de Lyon. Les amateurs ne sont pas oubliés : des ateliers sont organisés, à l'année ou sous forme de stages. En dehors des spectacles, il est possible de visiter gratuitement le site sur réservation ou à certaines dates (téléphoner ou consulter le site Internet). (📞04 78 39 10 02 ; www.les-subs.com ; 8 bis quai Saint-Vincent, 1er ; spectacles 7,50-15 € ; 🕐tlj 14h-19h ; 🚊 19, 31, 44 arrêt Subsistances)

Se restaurer

La Presqu'île est le quartier où l'on trouve le plus de restaurants en général et de bouchons en particulier. Ils sont littéralement alignés les uns à côté des autres dans la rue Mercière (entre la place d'Albon et la place des Jacobins) et dans la rue des Marronniers (près de la place Bellecour). Bien que fréquentés par beaucoup de touristes, un certain nombre accueillent aussi des habitués, gage d'une ambiance conviviale et d'une cuisine de qualité.

Le Crock'n'Roll   CROQUE-MONSIEUR €

13 Plan G3

Tout près de l'Opéra, la cantine favorite des étudiants et autres petits budgets ! On y trouve de délicieux croque-monsieur salés ou sucrés tout faits ou à composer soi-même. Bonne programmation musicale, exposition tournante, équipe sympa et beau choix de vins au verre. Formule brunch le dimanche également. (📞0952 34 21 82 ; www.thecrocknroll.net ; 1 rue Désirée, 1er ; 🕐 tlj 11h30-0h30 ; 🚇 Hôtel-de-Ville)

Best Bagels Company   MADE IN USA €

14 Plan F4

Le pays de l'oncle Sam, à deux pas des Terreaux ! Difficile de résister à l'appel des donuts et autres bagels assortis de garnitures aussi succulentes que caloriques. Ajoutez à cela des cookies fameux, des muffins inoubliables et bien d'autres sucreries colorées pétillantes ou gélatineuses. Alors, *eat in* ou *take away* ? (📞04 78 27 65 61 ; http://bestbagels.fr ; place Tobie-Robatel, 1er ; 🕐lun-sam 11h30-22h, dim 11h-14h30, fermé mar ; 🚇 Hôtel-de-Ville)

Autre boutique sur la Presqu'île. (15 plan E8 ; 📞 04 78 85 65 73 ; 14 rue d'Auvergne, 2e ; 🕐mêmes horaires ; 🚇Ampère)

Snob   SO BRITISH €

16 Plan F8

Avec la collection de thés qu'Anne et Karine proposent, c'est l'occasion de se mettre à l'heure anglaise. Argenterie,

Ambiance "croque" au Croc'n'Roll (ci-contre)

tasses fleuries et nappes brodées, le temps d'une pause gourmande. Déjeuner et goûters prennent soudain des allures de fête. Carrot cake ou tarte aux pralines pour accompagner votre thé ? Brunch le samedi. (📞 04 37 23 02 10 ; 31 rue de la Charité ; 2ᵉ ; 🕐 lun 12h-14h, mar-dim 10h30-18h ; Ⓜ Ampère)

Tasse-Livre
CAFÉ-LIBRAIRIE €

 17 Plan F3

Ce charmant salon de thé/librairie propose conférences et expos mais aussi une sélection de revues et d'ouvrages (neufs ou d'occasion) militants, artistiques et créatifs. L'agréable terrasse en été ou la cave voûtée en pierres dorées vous accueillent pour d'agréables déjeuners ou goûters. (📞 04 72 10 02 74 ; www. tasselivre.fr ; 38 rue du Sergent-Blandan, 1ᵉʳ ; 🕐 lun-sam 10h-20h (et certains dim) ; Ⓜ Hôtel-de-Ville)

La Gratinée
ASSOCIATIF €

 18 Plan G3

La seule table à Lyon où l'on peut manger une bonne entrecôte/frites à 4h du matin. Excellent rapport qualité/ prix avec l'ambiance en prime (prévoir 2 € d'adhésion). L'adresse pour fêtards affamés. (📞 04 72 00 87 44 ; 18 rue Terraille, 1ᵉʳ ; 🕐 jeu-sam 23h-7h ; Ⓜ Hôtel-de-Ville)

À nous les caprices
TARTES ET CUISINE DU MARCHÉ €-€€

19 Plan F9

Dans le quartier d'Ainay, Natacha et Patrick ne jurent que par le fait maison. Dans leur petit restaurant, ils proposent de délicieuses tartes et des pâtisseries à tomber. Le tout est à emporter ou bien à déguster en retrait sur une agréable mezzanine. Cuisine du marché à l'ardoise également. Atelier pâtisserie une fois par mois. (☎ 04 72 56 18 37 ; www.a-nous-les-caprices. com ; 50 rue Franklin, 2ᵉ ; ◷ lun-sam 9h30-19h, jeudi et ven 9h30-23h ; Ⓜ Ampère)

Les Terrasses Saint-Pierre
CADRE IDÉAL €-€€

Voir **Musée des Beaux-Arts** ◉ Plan F4

Cette splendide terrasse ombragée qui surplombe le jardin du musée des Beaux-Arts est un havre de paix, loin du vacarme des voitures et de l'agitation de la ville. Si les portions sont un peu chiches et les prix élevés, la cuisine y est toujours aussi inventive : les desserts, comme le fondant au chocolat, et les brunchs du week-end sont succulents, et les cocktails traîtreusement délicieux. Les jours de pluie et en hiver, le salon douillet, où trône une œuvre de Dufy, demeure tout aussi accueillant. (☎ 04 78 39 19 65 ; www.mba-lyon.fr ; 20 place des Terreaux, 1ᵉʳ ; ◷ mer-lun 10h-17h30, ven 10h30-17h30 ; Ⓜ Hôtel-de-Ville)

Le BIEH (Best I ever had)
NEW-YORKAIS €-€€

20 ✕ Plan F5

Vous trouverez ici des bagels et de très bons burgers à déguster dans une ambiance originale qui imite les bistrots new-yorkais, avec décoration vintage. Formule brunch le dimanche. (☎ 04 78 59 61 45 ; www.bieh.fr ; 4 rue Tupin, 2ᵉ ; ◷ lun-ven 12h-15h et 19h-23h, sam-dim 12-23h ; Ⓜ Cordeliers)

Une autre enseigne de la chaîne a ouvert sur la Presqu'île. (**21** ✕ plan G5 ; ☎ 04 37 57 92 51 ; 49 rue de la Bourse, 2ᵉ)

Le Palégrié
BISTRONOMIE €€

22 ✕ Plan G5

Une des dernières tables ouvertes à Lyon, et pas des moindres ! On sert ici une cuisine inventive qui se déguste à l'Opinel, comme dans les restaurants de montagne. Essayez par exemple la joue de bœuf ou le skrei (une variété de cabillaud) cuit vapeur. Tout est très frais, créatif, le service est impeccable, et les prix raisonnables. Réservation hautement conseillée ! (☎ 04 78 92 94 84 ; www.palegrie.fr ; 8 rue Palais-Grillet, 1ᵉʳ ; ◷ fermé lun midi et dim 12h-14h30 et 19h-23h ; Ⓜ Cordeliers)

Ponts et passerelles
CUISINE DU MARCHÉ €€

23 ✕ Plan F8

Le chef Sébastien Brunet fait dans le locavore. Il propose une cuisine de bistrot fine et authentique qui s'appuie sur de bons produits régionaux. Essayez par exemple la côte de veau farcie aux morilles, ou l'onglet à la fourme de Liergues. Belle carte des vins et terrasse très agréable sur une jolie placette. (☎ 04 78 38 70 70 ; www.pontsetpasserelles. com ; 5 place du Dr-Gailleton, 2ᵉ ; ◷ mar-sam ; Ⓜ Bellecour)

Le 9 Mercière   CUISINE À LA PLANCHA €€

24 🍴 Plan F5

Dans la très touristique rue Mercière, cette adresse sort un peu du lot avec ses plats pour la plupart élaborés à la plancha. Essayez par exemple le magret de canard sur peau ou bien l'entrecôte (de 250 à 650 g). Le service pourrait juste gagner un peu en efficacité... (📞 04 72 41 70 00 ; 9 rue Mercière, 2ᵉ ; ⏱ tlj ; Ⓜ Cordeliers)

Le Butcher   VIANDES €€

25 🍴 Plan F4

Les carnivores trouveront ici leur paradis : burgers XXL, black angus, bœuf wagyu, chicken wings...

Comme l'équipe compte un ancien de l'Antiquaire (p. 46), on trouve aussi de délicieux cocktails. (📞 09 50 76 46 82 ; 30 rue Lanterne ; mar-sam soir, sam et dim midi ; Ⓜ Cordeliers ou Hôtel-de-Ville)

Le Musée   BOUCHON €€

26 🍴 Plan G5

Près du musée de l'Imprimerie se trouverait, aux dires de nombreux Lyonnais, le meilleur bouchon de la ville. Les plats sont robustes, et le patron haut en couleur. Pour clore votre repas, il vous fera visiter une traboule dans la cour intérieure et vous refera l'histoire de Lyon... à sa sauce ! (📞 04 78 37 71 54 ; 2 rue des Forces, 2ᵉ ; ⏱ mar-sam ; Ⓜ Cordeliers Bourse)

◯ 100 % lyonnais
Une famille, une rue

Une famille lyonnaise pas comme les autres, les Chabert. Une famille de gastronomes amoureux de la cuisine lyonnaise, qui a ouvert quatre restaurants thématiques dans la rue des Marronniers. Pâtes, cochonnailles, viandes ou bouchon traditionnel, à vous de voir ! Cuisine fameuse, accueil chaleureux et cadre pittoresque garantis. Plus d'informations : www.chabertrestaurant.com

Le Bouchon des Carnivores (27 🍴 plan G7 ; 📞 04 78 42 97 69 ; 8 rue des Marronniers, 2ᵉ ; ⏱ tlj ; Ⓜ Bellecour). Comme son nom l'indique, ce bouchon à la devanture rouge est spécialisé dans les plats de viande. Vous laisserez-vous tenter par son célèbre pot-au-feu géant ?

Chabert et Fils (27 🍴 plan G7 ; 📞 04 78 37 01 94 ; 11 rue des Marronniers, 2ᵉ ; ⏱ tlj ; Ⓜ Bellecour). Devanture verte et décor typique pour ce bouchon traditionnel qui propose une excellente cuisine lyonnaise.

Mama'Caroni (27 🍴 plan G7 ; 📞 04 78 41 88 78 ; 9 rue des Marronniers, 2ᵉ ; ⏱ tlj ; Ⓜ Bellecour). Spécialités de pâtes fraîches.

Aux Trois Cochons (27 🍴 plan G7 ; 📞 04 72 41 93 31 ; 9 rue des Marronniers, 2ᵉ ; ⏱ tlj ; Ⓜ Bellecour). Spécialités de cochonnailles.

Le Garet

BOUCHON €€

28 🍽 Plan G4

Cervelle de veau, tablier de sapeur, andouillette, salade de museaux, grenouilles… Amis de la cochonaille et du bouchon authentique, vous serez ravis ! Ne manquez pas cette institution lyonnaise, son cadre authentique (même les toilettes valent le coup d'œil) et son chef si sympathique. (📞 04 78 28 16 94 ; 7 rue du Garet, 1er ; ⏱ lun-ven ; Ⓜ Hôtel-de-Ville)

Le Shalimar

INDIEN €€

29 🍽 Plan F9

De la cuisine indienne comme on l'aime : les plats sont relevés mais le palais ne prend pas feu pour autant. La fontaine centrale, entre les deux

salles, ajoute une touche couleur locale sans tomber dans le kitsch intégral et le service est agréable. (📞 04 78 42 18 20 ; www.leshalimar.com ; 39 quai Gailleton, 2e ; ⏱ fermé lun et mar midi, dim ; Ⓜ Ampère)

Brasserie Georges

LYONNAIS €€

30 🍽 Plan E10

Une institution lyonnaise s'il en est. La salle Art déco, avec ses fresques et ses lustres des années 1920, peut accueillir 500 couverts. Au choix, choucroutes généreuses ou spécialités lyonnaises. (📞 04 72 56 54 54 ; www.brasseriegeorges.com ; 30 cours de Verdun, 2e ; ⏱ tlj ; Ⓜ Perrache)

Le Sud

MÉDITERRANÉEN €€

31 🍽 Plan G7

Comme le nom l'indique, vous trouverez là une excellente cuisine d'inspiration méditerranéenne, de la moussaka au tajine, signée Bocuse, servie par une équipe irréprochable. Le cadre n'a rien d'exceptionnel, contrairement au rapport qualité/quantité/prix du menu (entrée, plat, fromage et dessert). (📞 04 72 77 80 00 ; www.nordsudbrasseries.com ; 11 place Antonin-Poncet, 2e ; ⏱ tlj ; Ⓜ Bellecour)

Le Vivarais

LYONNAIS €€

32 🍽 Plan F8

William Jacquier et sa fille Audrey ont repris cet établissement, situé sur une placette en bord de Rhône. Ce meilleur ouvrier de France y propose une cuisine lyonnaise bourgeoise… délicieuse et talentueuse ! (📞 04 78 37 85 15 ; 1 place Gailleton, 2e ; ⏱ fermé dim ; Ⓜ Ampère)

© BASILE VAILLANT

La Brasserie Georges, une institution lyonnaise

Le Nord   LYONNAIS €€

33 Plan G4

Un autre établissement de Bocuse, consacré cette fois-ci à la cuisine de tradition lyonnaise. Si vous êtes novice en la matière, l'assiette de lyonnaiseries vous offrira un bon panorama de la gastronomie locale, version chef étoilé. À compléter avec les quenelles. (☎ 04 72 10 69 69 ; www.nordsudbrasseries.com ; 18 rue Neuve, 2e ; ☺tlj ; M Cordeliers)

DOMA   JAPONAIS €-€€

34 Plan F4

De l'extérieur, cette table ne paie pas de mine. Pourtant, c'est la seule à Lyon, où vous pourrez goûter l'okonomiyaki (une crêpe-pizza typiquement japonaise). Délicieux bentos également. Tous les plats sont à emporter si vous le souhaitez. Autrement, pour manger sur place, vu l'exiguïté des lieux, il est absolument indispensable de réserver. (☎ 04 78 39 31 91 ; www.domalyon.fr ; 11 rue Lanterne, 1er ; ☺ lun-ven 10h-15h et 17h30-21h, sam 10h-19h30 ; M Cordeliers)

Le Potager des Halles   INFLUENCE MÉDITERRANÉENNE €€

35 Plan E3

Ne vous fiez pas à la déco rustique, le chef a fait ses armes dans les brasseries Bocuse avant de cultiver son propre potager. Accueil agréable, service impeccable et cuisine du marché simple et inventive d'inspiration méditerranéenne font oublier la note un peu élevée mais justifiée. (☎ 04 72 00 24 84 ; www.lepotagerdeshalles.com ; 3 rue de la Martinière, 1er ; ☺mar-sam ; M Hôtel-de-Ville)

Au 6 chez les Gones   LYONNAIS €€

36 Plan G7

La "bonne bouffe" vous fait oublier le brouhaha ambiant. Ici, tout est bon, du foie gras poêlé au tiramisu aux marrons ! L'addition, quant à elle, est vraiment légère. (☎ 04 78 42 76 02 ; 6 rue des Marronniers, 2e ; ☺mar-sam ; M Bellecour)

La Cuisine   CUISINE DU MARCHÉ €€

37 Plan G3

À deux pas des Terreaux, dans un cadre cosy, voilà une bonne adresse pour déguster une cuisine de saison fraîche et créative à prix plutôt raisonnables. Le filet de saint-pierre ou les calamars à la plancha ne devraient pas vous décevoir. (☎ 04 78 28 15 31 ; www.restaurant-lacuisine.fr ; 9 rue Sainte-Polycarpe, 1er ; ☺mar-sam ; M Hôtel-de-Ville)

La Mère Jean   LYONNAIS €€

38 Plan G7

La tradition des mères lyonnaises est encore bien vivante. Ici, vous n'êtes pas un client mais un invité. Et ce bouchon de la rue des Marronniers sert une cuisine de qualité sans ruiner ses hôtes. (☎ 04 78 37 81 27 ; 5 rue des Marronniers, 2e ; ☺lun-sam ; M Bellecour)

Chez Abel

BOUCHON €€

39 ✖ Plan E8

Certains restaurants laissent une empreinte indélébile sur la mémoire gustative… À n'en pas douter, Chez Abel est définitivement de ceux-là. Vos papilles se souviendront longtemps des quenelles et de la salade lyonnaise. De même que vous vous remémorerez avec plaisir la salle et ses boiseries, ainsi que le service, parfait. (📞04 78 37 46 18 ; www.cafecomptoirabel.fr ; 25 rue Guynemer, 2ᵉ ; ⏱lun-dim midi ; Ⓜ Ampère)

Chez Carlo

ITALIEN €€

40 ✖ Plan G5

Depuis un demi-siècle, Chez Carlo sert les meilleures pizzas au feu de bois de la ville et de délicieuses spécialités italiennes ! Laissez-vous tenter par le gratin de raviolis, les lasagnes ou encore les escalopes milanaises. Dans ce restaurant, tout est authentiquement *italiano* et l'addition… un peu élevée ! (📞04 78 42 05 79 ; 22 rue Palais-Grillet, 2ᵉ ; ⏱mar-sam ; Ⓜ Cordeliers)

Eskis

CUISINE CONTEMPORAINE €€

41 ✖ Plan F5

Samuel Desjobert a fait ses classes chez Pierre Reboul (à Aix-en-Provence) avant de se lancer dans la cuisine moléculaire. Pour les adeptes de devinettes et de blind tests culinaires, la cuisine de ce chef est étonnante : ça crépite, ça pétille,

ça fume et, même si les prix sont salés, l'expérience mérite le détour. (📞04 78 27 86 93 ; www.eskis-restaurant.com ; 11 rue Chavanne, 1ᵉʳ ; ⏱mar-sam ; Ⓜ Cordeliers ou Hôtel-de-Ville C13 Cordeliers)

Le Petit Grain

ASIATIQUE €€

42 ✖ Plan F8

Un restaurant asiatique aux allures de brocante, où chaque midi les habitués se pressent pour savourer le plat du jour, végétarien ou non. Fantasque et exubérant, Olivier reçoit toujours avec le sourire et se démène pour que ses fameuses "quéquettes froides" et autres "coucougnettes" – appellation (très) locale du rouleau de printemps et des brioches coco vapeur – atteignent la perfection. Le gâteau au thé vert est une merveille ! (📞04 72 41 77 85 ; 19 rue de la Charité, 2ᵉ ; ⏱lun-sam 10h-18h ; Ⓜ Perrache ou Ampère)

La Cantine des Sales Gosses

CUISINE TRADITIONNELLE €€

43 ✖ Plan E3

Derrière les fourneaux, Max, ancien chef de Relais & Châteaux et DJ électro, s'amuse toujours autant que sur ses platines : divin foie gras, exquis poisson ou fondante pièce du boucher, le choix est cornélien… Les prix sont très raisonnables pour une cuisine soignée et créative. On y va les yeux fermés ! (📞04 78 27 65 81 ; la-cantine-des-sales-gosses.com ; 5 rue de la Martinière, 1ᵉʳ ; ⏱mar-sam soir et ven midi ; Ⓜ Hôtel-de-Ville)

L'Étage CUISINE TRADITIONNELLE €€€

44 ✕ Plan F4

On entre à L'Étage assez logiquement par un grand escalier qui mène dans une salle feutrée à dominante rouge, et l'on plonge instantanément dans une ambiance luxueuse. La cuisine est à la hauteur du cadre : optez pour le foie gras poêlé, les noix de Saint-Jacques ou le menu de homard (à commander à l'avance). Réservation indispensable. (✆ 04 78 28 19 59 ; www.letage-restaurant.com ; 4 place des Terreaux, 1er ; ⊙ mar-sam ; Ⓜ Hôtel-de-Ville)

Thomas CUISINE DU MARCHÉ €€€

45 ✕ Plan F8

Avec la famille Thomas, ce n'est pas le choix qui manque... Le **Restaurant** (✆ 04 72 56 04 76) doit son succès à une cuisine de saison authentique, servie dans un cadre raffiné mais pas guindé. Mais il y a aussi le **Comptoir** (✆ 04 72 41 92 99), avec ses produits cuisinés à la plancha ou à la broche dans une ambiance bar à vins chic ; le **Café** (✆ 04 72 16 28 64), une adresse décontractée où l'on sert de délicieuses tapas ; la **Cantinetta** (✆ 04 72 60 94 53), pour les saveurs italiennes ; et enfin la **Réserve** (✆ 04 72 56 04 76), où l'on mange autour de deux grandes tables de 15 couverts, pour les sorties entre amis. Il devrait y en avoir pour toutes les envies... (www.restaurant-thomas.com ; 1/3/6/8 rue Laurencin, 2e ; ⊙ lun-ven 11h-14h et 18h-24h ; Ⓜ Ampère)

Nardone GLACIER

46 ✕ Plan F4

L'un des plus anciens glaciers de la ville. Voir p. 91. (✆ 04 78 27 90 28 ; 9 place Tobie-Robatel, 1er ; ⊙ tlj 9h-24h ; Ⓜ Hôtel-de-Ville)

Prendre un verre

Buvette Saint-Antoine

47 🍷 Plan F6

Bières, mojitos, glaces, casse-croûtes, charcuterie, fromages, fruits de mer... On trouve tout ce qu'on veut à la buvette Saint-Antoine, et ce depuis 1872. Située face au Vieux-Lyon et en plein cœur du marché Saint-Antoine, c'est sans doute la buvette la plus agréable de la ville. (✆ 04 78 42 56 72 ; www.buvettesaintantoine.com ; 2 quai des Célestins ; ⊙ été tlj 9h-1h, hiver 9h-15h)

Cha Yuan SALON DE THÉ

48 🍷 Plan E8

Dans ce décor sobre – poutres apparentes, parquet, meubles en bois et porcelaine de Chine –, on remarque surtout les innombrables boîtes de thé. Plus de 300 variétés à découvrir et éventuellement à acheter. Mais aussi et surtout de précieux conseils pour guider ses sens et ses envies vers le bon choix. (✆ 04 72 41 04 60 ; www.cha-yuan.com ; 7 rue des Remparts-d'Ainay, 2e ; cérémonie du thé 2 pers 15 € ; ⊙ mar-sam 10h-18h30 ; Ⓜ Perrache)

Le Passage
BAR À VINS

49 Plan F4

À deux pas des Terreaux, dans un cadre intimiste et feutré, pénétrez dans l'antre de la volupté. Lové dans un fauteuil club en cuir, ce lieu intemporel est idéal pour un tête-à-tête chic. Paul, le sommelier, propose une jolie sélection de vins et de cocktails, mais aussi une belle carte de rhums, whiskies et champagnes. Ambiance cosy sur fond jazzy : une parenthèse hors du temps ! (04 78 29 55 07 ; www.le-passage.com ; 8 rue du Plâtre, 1er ; lun-sam 18h-3h ; Hôtel-de-Ville)

Le Troquet des sens
VINS ET PRODUITS RÉGIONAUX

50 Plan F8

Un sympathique bar à vins où vous trouverez des produits régionaux proposés en tartines, planchas, salades ou plats chauds (le midi). L'ambiance "troquet" est bien là. Les vins de producteurs sont sélectionnés avec amour. Mat', Flo et Olivier vous aideront volontiers à faire votre choix. (04 78 37 22 23 ; 34 rue des Remparts-d'Ainay ; mar-sam ; Ampère)

Le Monocle
BIÈRES

51 Plan F5

Ce pub à l'ancienne un chouia british est un des rares de Lyon où vous trouverez un jeu de fléchettes, des jeux de société et un babyfoot, avec en prime des prix plutôt modiques.

Quant à la spécialité maison, pas de doute, c'est la bière, avec une soixantaine de références, dont des bières régionales. (04 78 37 31 54 ; 15 rue Mercière, 2e ; lun 14h-17h, mar-sam 14h-4h ; Cordeliers)

L'Harmonie des vins
BAR À VINS

52 Plan G4

Idéal pour partager un bon verre entre amis. De grandes cuves (décoratives) et tonneaux vous accueillent dans ce repaire des amateurs de vin. Pierres apparentes, tables en bois, voilà pour le cadre. Pour l'atmosphère, ambiance décontractée, mêlant une clientèle de tous âges, des serveurs sympathiques, disponibles et de bon conseil pour faire son choix parmi les 300 vins à la carte ! On peut aussi y manger ou grignoter (plateaux de fromages et de charcuterie). Apéros huîtres 1er samedi de chaque mois. (04 72 98 85 59 ; www. harmoniedesvins.fr ; 9 rue Neuve, 1er ; mar-sam 10h-14h30 et 18h-1h ; Cordeliers ou Hôtel-de-Ville)

Le Bistrot du potager
BAR À VINS

Voir **35** Plan E3

Le sympathique chef du Potager des Halles a ouvert récemment ce nouveau bar à vins, attenant à son restaurant. Flanqué d'une grande tablée centrale, ce lieu est sans conteste la bonne adresse pour débuter une soirée entre amis autour d'un bon verre de vin et de quelques tapas copieuses. (04 78 62 30 29 ; 3 rue de la Martinière, 1er ; mar-sam 10h-23h ; Hôtel-de-Ville)

Le Ké-Pêcherie

BISTROT LOUNGE

53 Plan F4

À chaque moment de la journée, que l'on préfère les lieux décontractés ou plus branchés, on peut y trouver son bonheur. Au petit matin, avec un café en terrasse agrémenté d'une superbe vue sur les quais de Saône. En journée, pour manger un morceau (des burgers notamment) ou siroter un verre dans une atmosphère lounge. (☎ 04 78 28 26 25 ; 1 rue de la Platière, 1er ; ⏰ jeu-sam 9h-3h, et dim-mer 9h-1h ; M Hôtel-de-Ville)

Le Broc'Bar

GAY-FRIENDLY

54 Plan F4

Un bar tout de rouge et de jaune, tables et chaises comprises. À proximité de la place des Terreaux, c'est le lieu parfait pour une petite pause dans la journée, de préférence en terrasse si le temps le permet (mais même s'il fait froid, vous trouverez des plaids pour vous réchauffer). Stéphane et son équipe vous réserveront à coup sûr un accueil chaleureux et un petit mot de bienvenue. (☎ 04 78 30 82 61 ; 20 rue Lanterne, 1er ; mar-sam 7h-1h, dim 10h-23h, lun 7h-23h ; M Hôtel-de-Ville)

Le L Bar

POUR ELLES

55 Plan G4

Suspendus au plafond et au comptoir, les soutiens-gorge laissés par les clientes rivalisent de couleurs et vous mettent tout de suite dans l'ambiance : vous êtes dans un des endroits les plus

Soutiens-gorges et cocktails au L Bar

conviviaux de Lyon pour les filles qui aiment les filles. Shots, patronne aux p'tits oignons, et concours de Wii. On est tout de suite comme à la maison. (☎ 04 78 27 83 18 ; 19 rue du Garet, 1er ; ⏰ tlj 17h-4h (dim 18h en hiver) ; M Hôtel-de-Ville)

Café des Négociants

CHIC

56 Plan G5

Un cadre d'exception : superbes lustres, grands miroirs, hauts plafonds, dorures et banquettes en cuir ; grande terrasse, parfaite en été. Une situation très centrale ajoute encore une qualité à cet établissement. Les consommations sont toutefois un peu chères et le service pourrait gagner en amabilité. (☎ 04 78 42 50 05 ; www.lesnegociants.com ; 1 place Francisque-Régaud, 2e ; ⏰ lun-jeu 7h-24h, ven-sam 7h-1h ; M Cordeliers)

Le Broc'Café

CAFÉ-BRASSERIE

57 Plan G6

Un des lieux de rendez-vous favoris des Lyonnais pour l'apéritif, surtout l'été sur la terrasse. Le nom de ce bar met sur la voie pour imaginer sa déco : des objets tout droit venus de brocantes sont disposés un peu partout. On notera les abat-jour qui tombent du plafond presque jusqu'sur les tables et les bougeoirs en cire fondue. Restauration tous les jours à midi et le soir du jeudi au samedi. (📞04 72 40 46 01 ; 2 place de l'Hôpital, 2ᵉ ; 🕐lun-sam 8h-1h ; Ⓜ Bellecour)

Pick me up

BAR À COCKTAILS

58 Plan F4

Dans une déco chic, trendy et épurée, Jérôme et Julien proposent une

© BASILE VAILLANT

La terrasse colorée du Broc'Café

carte de cocktails incroyables aux histoires improbables. Par exemple, si vous prenez le Bagheera (8 €), vous apprendrez que vous participez à la protection des léopards des neiges ! Si-si, c'est vrai ! (📞04 78 28 21 69 ; www.pickmeup.fr ; 13 rue Lanterne, 1ᵉʳ ; 🕐mar-dim 17h-1h ; Ⓜ Hôtel-de-Ville)

L'Antiquaire

BAR À COCKTAILS

59 Plan F4

Ce bar à cocktails, bien planqué, ne laisse rien deviner de l'extérieur et, pour entrer, il faut montrer patte blanche ! Ici, l'ambiance "prohibition", en référence à la période des années 1920 aux États-Unis, est de mise. Marc, dandy chic, que l'on a déjà vu œuvrer au fameux Soda Bar (voir ci-contre), nous concocte avec délice les meilleurs cocktails de Lyon (10 € ou 8 € avant 22h). (📞06 34 21 54 65 ; http://theantiquaryroom.com ; 20 rue Hippolyte-Flandrin, 1ᵉʳ ; 🕐tlj 18h-3h ; Ⓜ Hôtel-de-Ville)

Sortir

Le Fruit défendu

BAR

60 ⭐ Plan F4

Ce sympathique bar à jus de fruits se transforme en véritable bar à cocktails à la nuit tombée. Derrière le comptoir, Barth distille sa bonne humeur communicative. Ambiance bon enfant, excellents mojitos et déco acidulée signée par l'artiste Cart'1. (📞04 37 27 04 67 ; 1 rue Chavanne, 1ᵉʳ ; 🕐lun-sam 18h-4h ; Ⓜ Hôtel-de-Ville)

Soda Bar CLUB

61 ⭐ Plan F3

Toujours aussi tendance, ce bar discret à la déco sobre et épurée propose des cocktails aussi improbables que délicieux, comme le mojito ginger beer/cognac ou sa rafraîchissante version concombre. (☎04 78 39 06 66 ; http://soda-bar.fr ; 7 rue de la Martinière, 1er ; ☉mar-dim 18h30-1h (3h les WE et jeu) ; MHôtel-de-Ville)

Opéra OPÉRA, CONCERTS ET JAZZ

Voir 3 👁 Plan G4

Opéras, ballets et concerts prennent vie dans ce fabuleux bâtiment (voir p. 30). Sont le plus souvent programmées des œuvres issues du répertoire classique et produites par l'Opéra lui-même. Les spectacles de danse sont en revanche plutôt contemporains. Les représentations sont toujours de grande qualité. Le Péristyle, café situé dans l'Opéra, accueille tous les soirs en été des concerts de jazz (consommation obligatoire). (☎0826 305 325 ; www. opera-lyon.com ; place de la Comédie, 1er ; MHôtel-de-Ville)

Théâtre des Célestins THÉÂTRE

Voir 4 👁 Plan F6

Le théâtre des Célestins (voir p. 30) est de longue date un lieu artistique majeur sur la scène nationale. Il participe aujourd'hui à de nombreuses créations en collaboration avec d'autres théâtres. Sa co-directrice,

🔍 100 % lyonnais

Écrans art et essai

Le réseau lyonnais **Cinéma national populaire** (CNP ; ☎08 92 68 69 33), créé en 1968, ne comprend plus que deux établissements, situés sur la Presqu'île. Ces derniers proposent des films grand public en VO ainsi que des rétrospectives, des festivals et une excellente programmation d'œuvres d'art et d'essai. Le **CNP Bellecour** (62 ☉ plan G7 ; ☎0 892 68 69 33 ; 12 rue de la Barre, 2e ; MBellecour) comporte 3 salles. Le **CNP Terreaux** (63 ☉ plan F4 ; ☎0 892 68 69 33; 40 rue du Président-Édouard-Herriot, 1er ; MHôtel-de-Ville) en compte une de plus.

Claudia Stavisky, a voulu accentuer à son arrivée, en 2000, sa vocation de "théâtre d'art" à la portée du plus grand nombre. (☎04 72 77 40 40 ; www. celestins-lyon.org ; 4 rue Charles-Dullin, 2e ; MBellecour)

Théâtre des Marronniers THÉÂTRE

64 ⭐ Plan G7

Tout petit théâtre de seulement 50 places, perdu au milieu des restaurants de la rue des Marronniers. Au programme : du théâtre d'auteur, classique ou contemporain. La structure aide également de petites compagnies à créer leurs pièces. (☎04 78 37 98 17 ; www.theatre-des-marronniers.com ; 7 rue des Marronniers, 2e ; MBellecour)

Les Subsistances, laboratoire artistique lyonnais (p. 35)

Théâtre Les Ateliers　　THÉÂTRE

 65 ⭐ Plan F5

Une grande salle à l'italienne et une seconde salle, plus petite, accueillent des spectacles de théâtre contemporain (XXᵉ et XXIᵉ siècles) – il s'agit souvent de créations originales. Les répétitions sont fréquemment ouvertes au public.
(☎04 78 37 46 30 ; www.theatrelesateliers-lyon.com ; 5 rue du Petit-David, 2ᵉ ; Ⓜ Cordeliers)

Hot Club Jazz　　CONCERTS

66 ⭐ Plan F4

Le Hot Club Jazz, c'est non seulement une programmation éclectique et de grande qualité, mais aussi un cadre superbe. Les concerts ont lieu dans une cave voûtée. L'entrée, qui coûte généralement 10 € (tarif réduit 7 €) pour les concerts, est gratuite pour les jam-sessions, le samedi de 16h à 19h. (☎04 78 39 54 74 ; www.hotclubdelyon.org ; 26 rue Lanterne, 1ᵉʳ ; ⏱mar-sam, horaires selon la programmation ; Ⓜ Hôtel-de-Ville)

Les Subsistances　　SPECTACLES

Voir 12 ◎ Plan C4

Spectacles, expositions, résidence d'artistes... Voir p. 35. (☎04 78 39 10 02 ; www.les-subs.com ; 8 bis quai Saint-Vincent, 1ᵉʳ ; spectacles 7,50-15 € ; ⏱tlj 14h-19h ; 🚍 19, 31, 44 Subsistances)

Shopping

Entre Bellecour et Cordeliers se trouve ce que l'on appelle le "Carré d'or" lyonnais : un espace dédié au shopping dit "de qualité" (luxe, artisanat, soie, confection sur mesure, marques trendy...). Le portefeuille de M. Toutlemonde ne pourra pas forcément suivre... Mais voilà un bel endroit pour faire du lèche-vitrine.

Giraudet   ÉPICERIE FINE

67 🔒 Plan F6

Si Lyon est la capitale de la quenelle, Giraudet en est certainement le roi depuis quatre générations. À goûter dans le bar à soupe et à quenelles de la boutique, les spécialités de saison : quenelles à la châtaigne, multicéréales, ou encore au piment d'Espelette, ainsi que des soupes aussi colorées qu'appétissantes ! Autre point de vente aux Halles de la Part-Dieu (p. 128). (📞04 72 77 98 58 ; www.giraudet. fr ; 2 rue du Colonel-Chambonnet, 2ᵉ ; ⊘lun 11h-19h, mar-sam 9h-19h ; Ⓜ Bellecour)

Globo de Laetizia / Pachamalu   BIJOUX

68 🔒 Plan E7

Cette boutique fait se côtoyer les "globos" et leurs montages de pierres semi-précieuses, de perles et d'argent sur cordons colorés ou en liberty avec les "pachamalus" en matières naturelles (graine de Tagua) assemblés en beaux sautoirs et pendentifs. Des trésors de bijoux originaux et personnalisés.

Réparation possible. (📞06 10 04 54 80 ; www.globodelaetizia.com ; 24 rue du Plat, 2ᵉ ; mar et jeu-sam 10h-19h ; Ⓜ Bellecour)

La Cave aux curiosités   BROCANTE

69 🔒 Plan F7

Antre aux merveilleuses trouvailles chinées et revisitées, ce lieu hors du temps est une caverne d'Ali Baba. Antiquités, décoration, tuniques ethniques, vaisselle fine, étoles colorées, maroquinerie chic et linge de maison raffiné... (📞04 78 37 77 05 ; 27 place Bellecour, 2ᵉ ; ⊘lun 14h-19h, mar-sam 10h-12h et 14h-19h ; Ⓜ Bellecour)

Ultimae   DISQUAIRE

70 🔒 Plan F9

Le label de production musical Ultimae explore depuis 2000 les paysages électroniques, de l'atmosphérique au downtempo en passant par le trip-hop. Sandrine et Vincent se feront un plaisir de vous faire découvrir leur label en vous offrant une tasse de café ou de thé et vous trouverez une belle sélection de CD et de vinyles. (📞04 78 39 84 31 ; www. ultimae.com ; 51 rue de la Charité, 2ᵉ ; ⊘lun-sam 10h-13h 14h-18h sam 15-19h ; Ⓜ Perrache)

Perroudon   PÂTISSERIE

71 🔒 Plan G7

La plus agréable des deux enseignes (l'autre est située dans le Vieux Lyon, voir p. 95) que compte cette excellente pâtisserie. À tester : les fameuses tuiles géantes ! (☎04 78 37 37 56 ; 6 rue de la Barre, 2e ; ⊙lun-sam 7h30-19h30 ; MBellecour)

Voisin   CHOCOLAT

72 🔒 Plan F7

Cette famille de chocolatiers est installée dans la capitale des Gaules depuis plus de cent ans et sa longévité est la preuve de l'excellente qualité des produits : ganache à la canelle ou au tiramisu, à moins que vous ne préfériez les quenelles ou les fameux coussins... à vedir de plaisir ! Il y a une vingtaine de boutiques Voisin à Lyon et aux alentours. (☎04 78 37 79 41 ; www.chocolat-voisin.com ; 11 place Bellecour, 2e ; ⊙lun 10h-19h, mar-sam 9h-19h ; MBellecour)

Richart   CHOCOLAT

73 🔒 Plan F6

Un autre prince lyonnais du chocolat. Michel Richart, fils d'un maître chocolatier de la Croix-Rousse, est considéré comme *le* designer du chocolat. Ses créations sont aussi fascinantes pour les yeux que pour les papilles ! À admirer (et goûter) : les dessins d'enfants reproduits sur de succulents chocolats. Également une autre adresse sur la rive gauche (p. 120). (☎04 78 37 38 55 ; www.chocolats-richart.com ; 1 rue du Plat, 2e ; ⊙lun-sam 10h-13h 14h-19h ; MBellecour)

Pignol   TRAITEUR

74 🔒 Plan F7

Jetez un œil à la vitrine de ce traiteur et vous oublierez très vite votre balance. Car oui, c'est aussi bon que ça en a l'air ! Plats, salades, sandwichs, faites votre choix. Pour ceux qui seraient tentés par une petite touche sucrée pour finir, il y a une pâtisserie Pignol dans la rue adjacente. (☎04 78 37 39 61 ; www.pignol.fr ; 8 place Bellecour, 2e ; ⊙lun-sam 8h-19h15 ; MBellecour)

La Minaudière   TRAITEUR

75 🔒 Plan F5

Un autre traiteur d'exception. On y trouve de la charcuterie mais aussi et surtout de fabuleux fromages. Autre spécialité de la maison : les pâtes de fruits. Ne jamais dire que l'on n'aime pas ça avant d'avoir goûté celles-là ! (☎04 78 37 67 26 ; 5 rue de Brest, 2e ; ⊙lun-sam 9h-19h30 ; MCordeliers)

Marché Saint-Antoine   ALIMENTATION

Plan F5-F6

L'un des plus célèbres et des plus importants marchés alimentaires de la ville. Prévoir une halte à la délicieuse buvette Saint-Antoine (p. 43). (quai Saint-Antoine, 2e ; ⊙mar-dim 6h-13h30 ; MCordeliers)

Marché fermier   ALIMENTATION

Plan E9

Ce marché a deux particularités : il se tient en fin d'après-midi et accueille uniquement des producteurs fermiers. (au nord de la place Carnot, 2e ; ⊙mer 16h-19h30 ; MPerrache)

Bouquinistes LIVRES

Plan F4-F5

Livres anciens, modernes, cartes postales, BD, gravures… (quai de la Pêcherie, 2ᵉ ; ⊙sam-dim 10h-18h ; Ⓜ Hôtel-de-Ville)

Marché aux timbres PHILATÉLIE

Plan F7

Des philatélistes se retrouvent ici le dimanche matin pour vendre ou rechercher des pièces rares et échanger leurs tuyaux. (place Bellecour, 2ᵉ ; ⊙dim 6h-13h30 ; Ⓜ Bellecour)

Marché aux animaux ANIMAUX

Plan E9

Un incroyable marché aux animaux domestiques en général et aux chiens en particulier anime la place Carnot chaque semaine. Pour le plus grand plaisir de tous… (☎04 72 10 30 30 ; place Carnot, 2ᵉ ; ⊙dim 8h-12h ; Ⓜ Perrache)

Passage de l'Argue HORS DU TEMPS

76 🔒 Plan G6

Ce charmant passage est occupé par des galeries photos, et des boutiques de chapeliers et de couteliers qui semblent d'un autre temps. (entre les

© BASILE VAILLANT

Au marché Saint-Antoine (ci-contre)

rues de la République et du Président-Édouard-Herriot, 2ᵉ ; Ⓜ Hôtel-de-Ville)

Quartier Auguste-Comte ANTIQUITÉS

Plan F7-F9

Une trentaine de galeries d'antiquaires spécialisées dans les tableaux, les bijoux, l'archéologie, le mobilier et les objets d'art. (rue Auguste-Comte et ses alentours, 2ᵉ ; Ⓜ Ampère)

Explorer

La Confluence

Le dernier-né des quartiers lyonnais ! De la gare de Perrache à la pointe sud de la Presqu'île, là où Rhône et Saône se rejoignent, cet ancien secteur industriel, en devenir et pas encore tout à fait investi par les Lyonnais, fascine par sa capacité à marier architecture futuriste et patrimoine industriel, et fait la part belle à l'art contemporain. C'est aussi un lieu de promenade agréable côté Saône.

L'essentiel en un jour

☀ Depuis la pointe de la Presqu'île, qui accueillera fin 2014 le **Musée des Confluences** (p. 54), dirigez-vous vers le nord pour découvrir l'architecture avant-gardiste du quartier : le **Cube Orange** (p. 55), l'**Hôtel de Région** (p. 57), l'écoquartier du **quai Riboud** (p. 56)... Déjeunez dans l'un des restaurants qui longent la Saône ou bien perché en haut du **centre commercial Confluence** (p. 57), pour une belle vue sur la **place nautique** (p. 56).

☀ Découvrez **le parc et les rives de Saône** (p. 55). Déambulez entre les péniches et les jardins aquatiques. Si vos enfants vous accompagnent, montrez-leur les bateaux de plaisance de la **place nautique** (p. 56). En cas de pluie, emmenez-les au mur d'escalade du **centre commercial** (p. 57) ou bien au **Ludopole** (p. 59). Soif de culture ? Renseignez-vous sur les expositions en cours à **la Sucrière** (p. 55), à l'**Hôtel de Région** (p. 57) ou aux **Archives Municipales** (p. 58).

☾ Le soir venu, rendez-vous aux **Docks 40** (p. 59) pour un début de soirée hype (concert tous les mercredis soir). Au menu, tapas et cocktails sur la terrasse en fausse pelouse l'été. Pour dîner, faites-vous plaisir au **DoMo** (p. 58), restaurant franco-japonais situé en bordure de Saône dans l'ancien pavillon des Douanes, ou plus chic encore, aux **Salins**, juste à côté.

♥ Le meilleur du quartier

Architecture futuriste

Le Musée des Confluences (p. 54)

Le Cube Orange (p. 55)

L'Hôtel de Région (p. 57)

Les logements du quai Riboud (p. 56)

Se restaurer

Les Salins (p. 59)

Le DoMo (p. 58)

Sortir

Docks 40 (p. 59)

Comment y aller

🚊 **Tramway** T1 Montrochet ou Sainte-Blandine

⚓ **Vaporetto** La navette fluviale (☏08 20 20 69 20 ; ☺ tlj de 10h à 21h30 avr-déc ; départ ttes les heures ; 1,50 € par trajet, gratuit -7 ans) relie Bellecour (quai des Célestins), et Saint-Paul (quai Pêcherie) à Confluence.

🚲 **Vélo** Vous trouverez 7 stations Vélo'v dans le quartier : Perrache-Carnot, place des Archives, place de l'Hippodrome, Sainte-Blandine et Patinoire, Hôtel de Région et Les Docks.

Voir

Vaste espace contemporain et paysager, le quartier se découvre aisément à pied ou à vélo. Depuis Perrache, rejoignez la Place nautique, explorez le port Rambaud et longez la Saône du nord au sud.

Musée des Confluences

SCIENCES ET SOCIÉTÉ

77 ◎ Plan C15

Ce sera à coup sûr l'une des inaugurations les plus attendues de l'année 2014 à Lyon ! Héritier du musée Guimet de Lyon, devenu Muséum d'histoire naturelle en 1992, le musée des Confluences en reprendra les collections, enrichies, et traitera des grands enjeux scientifiques, éthiques, et sociaux. Puzzle de 20 000 m³ de béton et de 6 600 tonnes d'acier, le bâtiment est conçu par l'agence Coop Himmelb(l)au sur un schéma de type déconstructiviste. En attendant l'ouverture au public, des expositions hors les murs sont organisées. Pour en savoir plus, contactez l'**espace d'information** (☎04 78 37 30 00 ; 86 quai Perrache, 2ᵉ ; ☺mar-sam 13h-18h, dim 10h-12h et 13h-18h ; 🚊Montrochet), qui présente également le projet du musée. (www.museedesconfluences.fr ; à la pointe de la Presqu'île, au niveau du pont Pasteur ; ouverture prévue pour fin 2014 ; 🚊Montrochet)

© AURÉLIE LEPLATRE/SPLA LYON CONFLUENCE

Le Cube Orange et l'ancien bâtiment des Salins (p. 55)

Le Cube Orange ARCHITECTURE

78 ⊙ Plan C13

L'œuvre de Dominique Jakob et de Brendan MacFarlane est incontestablement l'un des symboles forts de l'avant-gardisme architectural de la Confluence ! Le bâtiment historique des Salins, aux trois arches emblématiques, a été réhabilité et s'est vu adjoindre un bâtiment cubique dont les murs à trous offrent une façade effervescente, faisant penser à des bulles de champagne. À l'ouest, un cône évidé favorise la pénétration de la lumière dans le bâtiment, qui accueille le siège social du groupe Cardinal. Les arches abritent un restaurant (voir p. 59). (quai Rambaud, 2ᵉ ; 🚉 Montrochet)

Parc et rives de Saône PROMENADE

Plan C15-E7

Après les berges du Rhône, c'est au tour des quais de Saône de se transformer en grande promenade pour piétons et cyclistes. La Confluence bénéficie de 5 km de berges avec de grandes vues dégagées. Depuis la Place nautique jusqu'à la pointe de la Presqu'île, le parc de Saône, traversant des jardins aquatiques, offre une belle balade le long des péniches. Les matériaux d'origine ont été conservés, et l'ossature d'anciens entrepôts sert aujourd'hui de pergolas géantes. Au nord de la Place nautique, le parc se prolonge par le projet Rives de Saône. (de la pointe de la Presqu'île au pont Kitchener-Marchand, partie nord prévue pour 2014 ; 🚉 Montrochet, Sainte-Blandine ou Suchet, Ⓜ Perrache)

La Sucrière

La Sucrière ART CONTEMPORAIN

79 ⊙ Plan C13

Cet ancien entrepôt de sucre, désaffecté depuis les années 1990, a été réaménagé au début des années 2000. Depuis 2003, c'est l'un des lieux incontournables de la Biennale d'art contemporain (p. 13). En dehors de ce temps fort, il accueille expositions et événements. Les mentions "gauche" et "droite" sur les silos ont été réalisées par l'artiste portugais Rigo 23. Libre à vous d'y voir une interprétation politique – ou simplement l'orientation de la Saône (à gauche) et du Rhône (à droite) qui confluent. (47/49 quai Rambaud, 2ᵉ ; www.lasucriere-lyon. com ; expo adulte/réduit 8/5 € ; 🚉 Montrochet)

© JÉROME BOUCHERAT/SPA LYON CONFLUENCE

Le Monolithe et les logements autour de la Place nautique

Place nautique
PLAISANCE

80 ⊙ Plan C12

Parfaitement inattendue en plein milieu de centre-ville, cette marina détonne avec ses embarcations de plaisance. Presque aussi vaste que la place Bellecour, la halte fluviale est destinée à accueillir des bateaux de passage entre Marseille et Amsterdam. (📞 04 78 03 24 92 ; quai Antoine-Riboud, 2ᵉ ; 🚇 Montrochet)

À savoir

Des **visites guidées** (📞 04 72 77 69 69 ; www.lyon-france.com ; tarif adulte/8-18 ans 10 €/5 €, gratuit -8 ans) du quartier sont organisées par l'Office du tourisme au printemps et en été (voir p. 159).

Le Monolithe et les logements du quai Riboud
ÉCOQUARTIER

81 ⊙ Plan C12

Douze architectes du monde entier ont travaillé à la conception des îlots de logements et de bureaux de la place nautique, sur le quai Riboud, pour un résultat à la fois contemporain et respectueux de l'environnement. Tout à l'est, le Monolithe, œuvre des architectes Winy Maas, Pierre Gautier, Manuelle Gautrand, Erick van Egeraat, Emmanuel Combarel et Dominique Marrec, marie béton, inox et aluminium de part et d'autre d'un jardin central ouvert et accueille commerces, logements et bureaux, dont le siège régional de GDF Suez. (quai Antoine-Riboud, 2ᵉ ; 🚇 Montrochet)

Centre commercial et de loisirs

SHOPPING

82 ⊙ Plan C12

Ouvert en avril 2012, ce pôle rassemble une soixantaine de boutiques, un hôtel, un cinéma et quelques équipements de loisirs. Sa toiture, de forme trapézoïdale, se veut un écho à la place nautique voisine. Au dernier étage, une vingtaine de restaurants – le plus souvent des chaînes ou des franchises – disposent de terrasses panoramiques avec vue agréable sur la marina et l'écoquartier futuriste du quai Riboud. (112 cours Charlemagne, 2ᵉ ; ⊙ lun-sam, tlj pour le cinéma et les restaurants ; 🚊 Montrochet)

Hôtel de Région Rhône-Alpes

ARCHITECTURE

83 ⊙ Plan C12

C'est à Christian de Portzamparc qu'on doit cette réalisation de 11 niveaux qui comprend, outre les bureaux, la création d'une Assemblée susceptible d'accueillir les élus régionaux et le public, des salles de réunion, des espaces d'exposition et de réception. Avec ses grandes baies vitrées dévoilant aux passants les espaces intérieurs, les lieux jouent sur la transparence. À l'intérieur, c'est le cœur d'un quartier que l'on découvre, avec avenues, placettes et jardins. Des expositions sont régulièrement organisées. (www.rhonealpes.fr ; 1 esplanade François-Mitterrand, 2ᵉ ; 🚊 Montrochet)

Comprendre
Une vitrine architecturale sans précédent

Ce sont les toutes dernières tendances en matière d'architecture et d'urbanisme que vous pourrez observer en vous baladant à la Confluence. Maintes fois reportée puis initiée à la fin des années 1990 par Raymond Barre, la réhabilitation des anciennes friches industrielles a été l'objet d'un vaste projet de renouvellement urbain. Le résultat ? Un quartier de logements, de commerces et de bureaux aux formes futuristes, parfois surprenantes, synthèse du travail de cabinets d'architecture internationaux. Si moderne qu'elle soit, la Confluence s'appuie néanmoins sur l'existant, revalorisant d'anciens bâtiments, et sur les atouts paysagers du site. Peu à peu, les Lyonnais se réapproprient ce vaste territoire longtemps laissé à l'abandon, et les élus espèrent que ce quartier sera un facteur de développement majeur pour l'agglomération.

Passionné d'architecture et d'urbanisme ? Rendez-vous à la **Maison de la Confluence** (84 ⊙ plan D12 ; 📞 04 78 38 74 00 ; rue Smith, 2ᵉ ; ⊙ mer-sam 14h-18h30 ; 🚊 Sainte-Blandine) pour un point complet sur le quartier. Plus d'information sur www.lyon-confluence.fr.

© AURÉLIE LEPLATRE/SPLA LYON CONFLUENCE

L'Hôtel de Région (p. 57)

Archives municipales

EXPOSITIONS

85 Plan E10

Les Archives municipales ont quitté le Vieux Lyon en 2001 pour s'installer dans un ancien centre de tri postal réhabilité par l'architecte Albert Constantin. Au mur pignon en pierres dorées mis à nu par les démolitions a été accolé un grand hall vitré, véritable vitrine des Archives et entrée principale du bâtiment depuis la jolie place des Archives. De nombreuses activités culturelles y sont proposées : expositions, visites commentées, conférences… (☎ 04 78 92 32 50 ; www.archives-lyon.fr ; 1 place des Archives, 2ᵉ ; 🚊 Suchet ou Perrache et métro Perrache)

Se restaurer
Intermezzo
À L'ITALIENNE €€

86 Plan C11

Un fast-food à la déco moderne qui propose risottos, pâtes, soupes chaudes et froides… le tout, fait maison. On déplore des prix un peu élevés et le suremballage plastique, mais la qualité est au rendez-vous. Terrasse face à la Place nautique. (☎ 09 83 22 22 81 ; 1 quai Antoine-Riboud, 2ᵉ ; 🕐 lun-sam 9h-18h, été tlj 9h-20h ; 🚊 Montrochet)

Burger and Wine
NEW-YORKAIS €€

87 🍴 Plan C11

Derrière une atmosphère américaine et urbaine, des clins d'œil à la région, comme le burger au saint-marcellin, et un large choix de vins du terroir : voilà une adresse plaisante ! Bagels, salades, grillades et desserts maison sont également au menu. Terrasse plein sud face à la Place nautique. (☎ 04 78 62 08 27 ; 14 quai Antoine-Riboud, 2ᵉ ; 🕐 ouvert lun-sam le midi, jeu-sam midi et soir ; 🚊 Montrochet)

Le DoMo
INFLUENCE JAPONAISE €€€

88 🍴 Plan C13

Dans une atmosphère zen et délicate avec fontaines et mobilier épuré, on sert ici une cuisine gastronomique traditionnelle relevée de subtiles notes japonisantes. En été, l'immense terrasse est un bonheur ! (☎ 04 37 23 09 23 ; www.do-mo.fr ; 45 quai Rambaud, 2ᵉ ; 🕐 tlj ; 🚊 Montrochet)

100 % lyonnais

Avec des enfants

À la fois garderie et magasin de jouets, le **Ludopole** (voir 82 ⊙ plan C12 ; ☎ 04 26 78 23 90 ; www.ludopole.com ; centre commercial Confluence, 112 cours Charlemagne, 2ᵉ, niveau 2 ; entrée 6€ pour 2h ; ☉ ouvert mar-sam 10h-19h, dim 10h-18h ; 🚋 Montrochet) reçoit les enfants et leurs parents pour un moment de jeu à partager dans un espace de 1 800 m².

Derrière le Monolithe (p. 56), la **patinoire Charlemagne** (voir 81 ⊙ plan C12 ; ☎ 04 78 42 64 55 ; www.lyon.fr ; 100 cours Charlemagne, 2ᵉ ; tarif plein/réduit 3,70/2,20 €, 6,70/5,20 € avec location de patins ; ☉ mi-sept à mi-mai, mar 21h-23h, mer 10h-11h45 et 14h-17h, ven 21h-23h, sam 14h30-17h30 et 21h-23h, dim 10h-12h45 et 14h15-17h30, vacances scolaires lun 10h-12h et 14h-17h30, mar-ven 10h-12h, 14h-17h30 et 20h30-22h30, sam 14h-17h30 et 20h30- 22h30, dim 10h-12h45 et 14h15-17h30, fermé durant les match ; 🚋 Montrochet) accueille les glissades des petits et des grands champions.

Les Salins
BRASSERIE D'EXCEPTION €€€

Voir 78 ◉ Plan C13

L'ancien bâtiment des Salins du Midi accueille désormais un établissement très élégant regroupant une brasserie, un chai et une boulangerie. Conçu dans l'esprit d'une halle gourmande et tout droit inspiré de la brasserie traditionnelle à la lyonnaise, il est placé sous la houlette de Christian Têtedoie, Meilleur Ouvrier de France. Le brunch du dimanche avec huîtres et terrine de foie gras devant les baies vitrées donnant sur la Saône est un *must*. (☎ 04 78 92 87 87 ; www.les-salins.fr ; 43 quai Rambaud, 2ᵉ ; ☉ ouvert mar-sam, dim brunch uniquement, 2 services entre 11h et 14h ; 🚋 Montrochet)

Sortir

Docks 40
AFTERWORKS

89 ⭐ Plan B12

À la fois restaurant et club tendance, les Docks 40 disposent d'un bel espace de 1 400 m² en bord de Saône, avec une terrasse habillée d'une fausse pelouse. Le midi, on sert une restauration simple avec plat du jour. Le soir venu, place aux cocktails, aux tapas et à des plats plus élaborés. Voilà qui séduit la jeunesse lyonnaise en quête d'*afterworks* branchés. Concerts tous les mercredis soir et sets de DJ. (☎ 04 78 40 40 40 ; www. docks40.com ; 40 quai Rambaud, 2ᵉ ; ☉ lun 8h-18h, mar-mer 8h-1h, jeu 8h-3h, ven 8h-4h, sam 12h-4h ; 🚋 Montrochet)

Explorer

La Croix-Rousse
et les pentes

La "colline qui travaille" tient son surnom des ouvriers de la soie, les canuts, qui vinrent chercher ici à la fin du XVIIIᵉ siècle de nouveaux espaces pour implanter leur activité en pleine révolution industrielle. Après le déclin de cette industrie à la fin du XIXᵉ siècle, la Croix-Rousse a conservé une âme particulière, un rien villageoise, très différente du reste de la ville. C'est aujourd'hui un quartier très vivant, alternatif et engagé, avec de nombreux bars, restaurants et ateliers d'artistes.

L'essentiel en un jour

☀ Depuis les Terreaux, commencez votre exploration en grimpant la **montée de la Grande-Côte**. Explorez les nombreuses **traboules**, allez voir la **Cour des Voraces** (p. 69), lieu de révoltes ouvrières, puis découvrez les techniques d'impression de la soie à **l'Atelier de soierie** (p. 70). Baladez-vous ensuite au **Village des Créateurs** (p. 76) pour voir comment les jeunes concepteurs ont repris le flambeau. Allez pique-niquer sur la **place Bellevue** (p. 68) ou déjeuner dans une des nombreuses brasseries nichées sur les pentes.

☀ L'après-midi, explorez **le plateau** (p. 64), amusez-vous de son **Gros Caillou** (p. 64), du **Jardin de coquillages Rosa-Mir** (p. 64), allez voir les joueurs de pétanque sur la place Tabareau, et découvrez de jolies boutiques de créateurs. N'oubliez pas le patrimoine religieux et les parcs ! Le **Jardin des Chartreux** (p. 72) offre par exemple un magnifique panorama.

☾ Amorcez une descente en faisant un crochet par l'**amphithéâtre des Trois Gaules** (p. 70), puis arpentez la **rue Burdeau** (p. 76), avec ses nombreuses galeries d'art et ateliers d'artistes. Après cette belle journée de marche, allez donc boire un verre bien mérité **Au Temps Perdu** (p. 75), où vous jouirez d'une vue exceptionnelle sur la ville au soleil couchant. Et le soir venu, pourquoi pas un dîner romantique aux **Demoiselles de Rochefort** (p. 74) ?

○ 100% lyonnais

Mode et design à la Croix-Rousse (p. 62)

♥ Le meilleur du quartier

Histoire de la soie

Atelier de soierie (p. 70)

Cour des Voraces (p. 69)

Les traboules (p. 89, 134)

Se restaurer

Toutes les Couleurs (p. 73)

Le Canut et les Gones (p. 66)

Les Chats siamois (p. 73)

Les Demoiselles de Rochefort (p. 74)

Sortir

Le bistrot fait sa broc' (p. 66)

Le Bec de jazz (p. 75)

DV1 (p. 75)

Comment y aller

Ⓜ **Métro** Ligne C Croix-Rousse ou Croix-Paquet

☍ **Vélo** Vous trouverez 9 stations Vélo'v dans le quartier : Croix-Rousse Perfetti, Subsistances, Rouville, Martinière, Place Sathonay, Carmélites Burdeau, Aveyron, Place Tolozan, Quai Lassagne.

100% lyonnais
Mode et design à la Croix-Rousse

Des pentes jusqu'au plateau, la Croix-Rousse fourmille de boutiques de jeunes créateurs où vous pourrez acheter des pièces uniques vraiment originales. T-shirts, sacs, chapeaux, bijoux, puériculture, mais aussi design... Vous trouverez de tout ! Partez pour un après-midi de shopping avec escales dans les lieux d'histoire. Vous pourrez en apprendre plus sur la soie et ses techniques de confection.

❶ Rue Romarin
Commencez votre balade en bas des pentes par une halte au temple du vintage, chez **Jimi Vintage** (☎ 06 65 33 58 57 ; 10 rue du Romarin ; ☉ lun-sam 12h-19h). Jeans levis à 15 €, anciennes vestes Adidas, blousons de cuir des années 1960, 1970 et 1980, robes, sacs... Vous trouverez de tout et à petit prix. Dans la même rue,

vous verrez également de nombreuses boutiques de créateurs (**Le Cabinet des curieuses**, **La Rumeur Blonde**, **Madame des Feuillants**...).

Au n°33, l'**Atelier de Soierie** (p. 70) est le dernier atelier traditionnel lyonnais d'impression au cadre de la soie. La boutique propose à la vente des écharpes, des châles, des carrés de soie et des cravates.

❷ T-shirts rigolos

Montez jusqu'à la place du Griffon et allez faire un tour chez **Laspid** (☎ 04 78 23 54 66 ; www.laspid.com ; 3 place du Griffon ; ☉ lun 14-19h mar-sam 11h-13h 14h-19h30). Vous trouverez toute une gamme de T-shirts, fabriqués à partir de coton bio issu du commerce équitable, aux designs très originaux.

❸ Village des créateurs

Rendez-vous ensuite au passage Thiaffait. Au **Village des créateurs** (p. 76), dans une ancienne traboule, de jeunes designers exposent leurs créations. C'est le lieu incontournable de la mode lyonnaise. Les créations ne sont pas uniquement textiles, vous trouverez aussi de la déco et du design en tout genre.

Au cœur du Village, **Le Café Cousu** (☎ 04 72 98 83 38 ; 14 rue René Leynaud passage Thiaffait ; ☉ fermé lun) répondra à toutes les faims avec ses choix de tartines, ses assiettes de charcuteries, ou encore ses plats végétariens.

Le café dispose d'une petite terrasse très agréable. Formules petit-déjeuner et brunch le week-end.

❹ Montée de la Grande Côte

En passant par la rue René Leynaud, rejoignez la montée de la Grande Côte, où sont installés plusieurs créateurs de talent. Faites un tour à la boutique de design **Twig 7** (☎ 06 87 86 30 97/ 06 87 80 30 54 ; 124 montée de la Grande-Côte ; ☉ lun-sam 13h30-19h, dès 11h le sam), spécialisée dans les années 1950 et 1960 et le design scandinave (luminaires, fauteuils...). Gagnez le plateau en montant tranquillement.

❺ Maison des Canuts

Dans la rue d'Ivry, allez voir la **Maison des Canuts** (p. 64), mémoire vivante des ouvriers de la soie. Vous découvrirez comment fonctionne le métier Jacquard et quelles sont les différentes techniques de tissage de la soie. La boutique propose aussi cravates et foulards.

❻ Sur le plateau

Pour finir votre balade, allez voir quelques-uns des **jeunes créateurs** (p. 76) installés sur le plateau. Les jeunes parents adoreront les créations pour enfants ludiques et colorées de **Pozio Petit Pois** (☎ 09 53 35 43 46 ; 26 rue du chariot d'or, angle rue Dumont-d'Urville ; www.pozio.fr ; ☉ lun 14h-19h, mar-ven 10h-12h30 14h-19h, sam 11h-12h30 14h-19h). Possibilité de confection sur mesure.

Le plateau de la Croix-Rousse

Voir

À la Croix-Rousse, le plateau est plus résidentiel que les pentes, et aussi un peu plus âgé. Les habitants y vivent comme dans un village et ils y sont si bien que certains s'aventurent rarement dans "la vallée" (comprenez à Lyon, par ironie).

Le Gros Caillou — PITTORESQUE

90 ⊙ Plan G2

À l'est de la place de la Croix-Rousse, ce n'est ni plus ni moins que ce que son nom indique : un gros caillou. La légende veut que Jean Tormente, huissier de justice de son état, ait été puni par Dieu pour avoir expulsé sans remords une famille de canuts. Puisqu'il avait un caillou à la place du cœur, Dieu décida de l'obliger à pousser un caillou qui grossirait continuellement jusqu'à ce qu'il croise quelqu'un de plus méchant que lui. Il fit le tour de la ville et revint vers le plateau de la Croix-Rousse avant de pouvoir s'arrêter et laisser le caillou devenu énorme sur la place où il est resté depuis. Si cette explication ne vous satisfait pas, vous pouvez lui préférer celle-ci : le gros caillou est en fait un bloc erratique déposé par les moraines de glaciers des Alpes. Il a été mis au jour lors des percées effectuées pour la construction du funiculaire. Plus scientifique, mais moins amusant... (Place Bellevue, 4ᵉ ; Ⓜ Croix-Rousse)

Maison des Canuts — HISTOIRE DE LA SOIE

91 ⊙ Plan G2

Le terme de "canut" désigne les ouvriers de la soierie. Et ce musée est vraiment l'endroit idéal pour se familiariser avec la tradition de la soierie lyonnaise et le célèbre métier Jacquard. Il est cependant compliqué d'imaginer son fonctionnement et de visualiser le travail que représentait le tissage manuel. Donc le mieux est d'assister à une visite commentée, illustrée par des démonstrations. On peut également acheter cravates, foulards, différents accessoires de mode et bien d'autres productions exclusives des ateliers. (☎ 04 78 28 62 04 ; www.maisondescanuts.com ; 10-12 rue d'Ivry, 4ᵉ ; visite commentée 11h et 15h30, adulte/réduit 6,50/3,50 €, grat-11 ans ; ⊙ lun-sam 10h-18h ; Ⓜ Croix-Rousse)

Jardin Rosa-Mir — INSOLITE

Hors plan F1

Un petit jardin pas comme les autres : il est principalement composé de... coquillages ! Plus de 100 000 au total. Niché au cœur de la Croix-Rousse, il est invisible depuis la rue. Une fois devant le 87 Grande-Rue-de-la-Croix-Rousse, passez le porche de l'immeuble et montez à droite. La grille du jardin se trouve sur votre gauche. Autre obstacle, il n'est ouvert que 3h par semaine. Mais il fait partie de ces endroits au kitsch improbable qui valent la peine de bousculer son emploi du temps pour les découvrir. Rosa Mir Mercader est la mère du créateur de ce lieu, Jules Senis, espagnol et lyonnais d'adoption, artisan-maçon. Le jardin est d'inspiration ibérique : il fait penser aux travaux d'architectes comme Gaudí. Le principal matériau utilisé par Senis est le ciment. Ce dernier a élaboré de drôles de colonnes recouvertes de coquillages et de plantes qui offrent un nouveau visage au jardin quand vient le printemps. Le jardin appartient à la Ville de Lyon depuis 1987. (http://rosa.mir. free.fr ; 87 Grande-Rue-de-la-Croix-Rousse, 4ᵉ ; entrée libre ; ☺ avr-nov sam 15h-18h ; Ⓜ Croix-Rousse)

Le Gros Caillou : une légende digne de Sisyphe

Se restaurer

La Croix-Rousse et ses pentes forment un quartier à la fois branché et populaire. En toute logique, on trouve ici d'excellentes gargotes sans chichis comme des adresses bien plus courues. Dans le deuxième cas, le week-end, mieux vaut réserver.

Le Comptoir du vin   LYONNAIS €

92 Ⓧ Plan G1

Ce petit bistrot populaire ne paie pas de mine, mais c'est l'un des meilleurs rapports qualité/prix de la Croix-Rousse. Daniel, le truculent patron, accueille ici avec la même convivialité le touriste égaré et les habitués. Copieuse cuisine traditionnelle, simple et bon marché : andouillettes, lyonnaiseries, tartares, mais aussi quelques salades... Petit bémol :

on sort de là avec l'odeur du festin incrustée dans les vêtements. Vous voilà prévenu ! Attention, pas de CB. (☎04 78 39 89 95 ; 2 rue Belfort, 4ᵉ ; ☺lun-sam midi, lun-ven soir ; Ⓜ Croix-Rousse)

Plato   INVENTIF €€€

93 Ⓧ Plan E2

Déco lounge et ambiance zen pour ce resto à la mode où se retrouve une clientèle locale plutôt branchée. Son succès n'est pas seulement dû à son cadre. La savoureuse cuisine de type fusion y est aussi pour beaucoup : quasi de veau rôti et épices douces, suprême de canette rôtie à l'orange, rouelles de cuisses de volaille à la truffe... (☎04 72 00 01 30 ; 1 rue Villeneuve, 4ᵉ ; ☺lun-sam ; Ⓜ Croix-Rousse)

100 % lyonnais

Pauses sucrées

Mimie La Praline (94 ❌ plan F1 ; 📞 04 78 27 86 91 ; 20 place de la Croix-Rousse, 4ᵉ ; 🕐 tlj 7h30-19h30 ; Ⓜ Croix-Rousse). Pains bio, pâtisseries maison et bon café. À tester : la tarte à la praline ! **L'Atelier du boulanger** (95 ❌ plan F2 ; 📞 04 78 39 80 48 ; www.latelierduboulanger.fr ; 159 bd de la Croix-Rousse, 4ᵉ ; 🕐 mar-sam 7h30-19h30, dim 7h-14h ; Ⓜ Croix-Rousse). Ne soyez pas découragé par la file d'attente qui s'allonge à l'extérieur de la boutique, c'est un gage de qualité ! L'une des meilleures boulangeries de la ville.

Le Canut et les Gones　TRADITIONNEL JAPONISANT €€€

Hors plan G1

Un petit restaurant chaleureux à la déco originale : des bouteilles de vin-lampes pendent au plafond et des dizaines de vieilles pendules donnant des heures diverses et variées sont disposées un peu partout. Dans cette ambiance, le raffinement de la cuisine surprend quelque peu : le chef japonais manie les épices à la perfection et concocte sans cesse des mélanges nouveaux à partir des produits du marché, comme ses succulentes gambas au curry. Sur la carte des desserts, ne manquez pas la panacotta, un délice aussi léger qu'un nuage. (📞 04 78 29 17 23 ; www.lecanutetlesgones.com ; 29 rue de Belfort, 4ᵉ ; 🕐 mar-sam ; Ⓜ Croix-Rousse)

Prendre un verre

La Brasserie des Écoles　　À TOUTE HEURE

96 🍺　Plan F2

Juste à la sortie du métro, l'endroit ne désemplit pas. Sur les guéridons jaunes et rouges, on se délecte d'un vin chaud l'hiver, et on peut manger à tout heure (cuisine traditionnelle, salades, gril...). En été, la terrasse ombragée en plein cœur du quartier est des plus agréables. (📞 04 78 28 12 55 ; 27 place de la Croix-Rousse ; 🕐 tlj 7h-minuit ; Ⓜ Croix-Rousse)

Le bistrot fait sa broc'　　BAR DE QUARTIER

97 🍺　Plan F1

L'un des bars les plus appréciés des Croix-Roussiens. Et pour cause, ce lieu très coloré a la bonne humeur contagieuse. Objets chinés en brocantes, tables en formica et autres objets de déco insolites forment un cadre unique ultra-convivial. Concerts et expos viennent ponctuer régulièrement le cours paisible de ce sympathique bistrot de quartier ! (📞 04 72 07 93 47 ; 3 rue Dumenge, 4ᵉ ; 🕐 lun-ven 17h-1h et sam 10h-1h ; Ⓜ Croix-Rousse)

Cassoulet Whisky Ping-Pong　　HÉTÉROCLITE

98 🍺　Plan G1

On peut bien sûr y manger un cassoulet, boire de fameux whiskys, et jouer au ping-pong à l'étage, mais pas seulement. Anne-Laure et Sophie, qui tiennent le bar depuis quelques années, proposent aussi des soirées blind test et des concerts deux fois par mois (rock, jazz, chanson française...). (📞 04 78 61 38 32 ; 4 ter rue de Belfort, 4e ; petitespepes@gmail.com ; 🕑 lun-sam 17h30-1h ; Ⓜ Croix-Rousse)

Sortir

Théâtre de la Croix-Rousse THÉÂTRE

Hors plan F1

La programmation de ce théâtre est un savant mélange de spectacles d'envergure nationale et de pièces jouées par des troupes méconnues du grand public. (📞 04 72 07 49 49 ; www.croix-rousse.com ; place Joannès-Ambre, 4e ; Ⓜ Croix-Rousse ou Hénon)

Shopping

Pour vos emplettes, baladez-vous dans la rue d'Ivry, la rue d'Austerlitz et la Grande-Rue-de-la-Croix Rousse. Vous trouverez des produits bio, de l'épicerie fine, des boutiques de créateurs...

Bouillet PÂTISSERIE

99 🔒 Plan F1

Du chocolat, certes, mais surtout des macarons aux saveurs exquises. Du simple macaron au chocolat noir à celui au citron et au gingembre, il y en a pour tous les goûts et tout est réalisé avec la plus grande finesse. De quoi vous offrir des plaisirs sucrés subtils, mais assortis d'une addition qui reste un chouïa trop salée. (📞 04 78 28 90 89 ; www.chocolatier-bouillet.com ; 15 place de la Croix-Rousse, 4e ; 🕑 mar-sam 8h30-19h30 dim 9h-13h ; Ⓜ Croix-Rousse)

Marché de la Croix-Rousse ALIMENTATION

Plan D2-F2

Ce marché alimentaire, parmi les plus importants de la ville, propose également à la vente des vêtements, de l'artisanat et des objets en tous genres. Le samedi, c'est le marché bio préféré des Lyonnais. (boulevard de la Croix-Rousse, 1er ; 🕑 mar, ven-dim 6h-13h30, mer et jeu 13h, avec une trentaine de commerçants seulement ; Ⓜ Croix-Rousse)

L'Instant poétique CRÉATEUR

100 🔒 Plan E2

Montres gousset, gigoteuses pour bébé, matriochkas musicales, broches customisées, cartables aux couleurs acidulées... Cécile a sélectionné près de 40 créateurs de France et d'ailleurs ! Résultat, cette jolie boutique déborde d'objets rétro pour petits et grands. Bref, un joli lieu, caché derrière la mairie du 4e et plein de sérénité. (📞 04 78 98 66 45 ; www.linstantpoetique.com ; 129 boulevard de la Croix-Rousse, 4e ; 🕑 mar-sam 10h-12h30 et 14h30-19h ; Ⓜ Croix-Rousse)

Bijoux et création chez Lulabi'dule

Lulabi'dule
CRÉATEUR

101 🔒 Plan G1

Lucie et Alice créent des sacs, vêtements et bijoux uniques avec un fort penchant pour ce qui est réversible, gai et coloré. Coups de cœur assurés pour les porte-monnaie, les badges et les boucles d'oreilles. Pas de CB mais les chèques sont acceptés. (📞06 17 18 38 97 ; www.creation-textile-unique-lulabidule.com ; 21 rue d'Ivry, 4ᵉ ; 🕐mar-ven 10h-12h et 14h-19h, sam 14h-19h ; MCroix-Rousse)

Psikonaute
ATELIER DE PEINTURE

102 🔒 Plan F1

Des robots, des animaux bizarroïdes, des monstres gentils… Isabelle Ramiroz, alias Psikonaute, fait partie des jeunes artistes lyonnaises à découvrir. En plus de la peinture au couteau, elle s'adonne au lightpainting avec un tout nouveau crew. Avec humilité et simplicité, elle vous présentera son travail autour d'un café. (📞06 47 87 32 40/09 51 46 19 11 ; www.psikonaute.com ; 10 rue Dumont ; visite en semaine et le WE sur RDV ; MCroix-Rousse ou Hénon)

Les pentes

Accrochées à la colline laborieuse, les pentes de la Croix-Rousse bouillonnent d'une effervescence créative. Bars, galeries, restaurants, boutiques de créateurs… De la très "arty" rue Burdeau au créatif passage Thiaffait, d'escaliers escarpés en traboules incroyables, les pentes se laissent découvrir au gré d'heureux hasards ou de rencontres…

100 % lyonnais
La bien nommée place Bellevue

Si vous voulez gagner à pied les pentes depuis le plateau, passez donc par la **place Bellevue** (103 ⊙ plan G2). Sa situation offre une vue magnifique sur les quais du Rhône et sa rive gauche. Si bien qu'en soirée comme l'après-midi, c'est un lieu de détente et de rencontres très apprécié des Croix-Roussiens, qui y viennent jouer de la musique, pique-niquer, tailler la bavette…

Voir

Les pentes de la Croix-Rousse abritent de nombreuses traboules, qui furent des lieux de passage privilégiés pour le transport de la soie et du tissu. Toutes sont indiquées sur le plan guide de Lyon-Tourisme et Congrès, distribué gratuitement à l'office du tourisme.

La Cour des Voraces
TRABOULE HISTORIQUE

104 ◉ Plan G2

Cette cour d'immeuble est célèbre pour son escalier monumental de façade comportant six étages (escalier à volées libres). Cette impressionnante traboule permet de passer du 9 de la place Colbert au 14 bis de la montée de Saint-Sébastien ou au 29 rue Imbert-Colomès. Construite vers 1840, c'est un bel exemple d'une architecture populaire dite "canuse", liée à l'industrie de la soie qui a profondément marqué le quartier. Elle doit son nom à un groupe d'ouvriers canuts nommés les Voraces. Ceux-ci s'illustrèrent lors des insurrections républicaines de 1831 et 1834. (9 place Colbert, 4ᵉ ; Ⓜ Croix-Paquet)

Église Saint-Polycarpe
XVIIᵉ SIÈCLE

105 ◉ Plan F3

Un peu difficile à trouver, l'église Saint-Polycarpe se niche au cœur des pentes de la Croix-Rousse. Elle date de 1670, mais sa façade actuelle fut réalisée au milieu du XVIIIᵉ siècle dans un style néoclassique. Monumentale, elle est surmontée par un fronton triangulaire. Elle fut endommagée par des tirs de canons en 1793. On peut encore voir les impacts. L'abbé alors en fonction résista moins bien que les murs : un boulet le tua dans son lit. L'église fut agrandie au XIXᵉ siècle mais, faute d'argent, la fin du projet, notamment la construction du clocher, fut abandonnée et l'édifice laissé en l'état. À l'intérieur, remarquez l'orgue de 1840, en noyer, aux dimensions

Comprendre
Un peu d'histoire...

La colline de la Croix-Rousse doit son nom à une croix en pierre jaune orangé qui se trouvait dans la montée de la Boucle. Le quartier fut habité très tôt, comme l'atteste l'amphithéâtre des Trois-Gaules. L'histoire de la Croix-Rousse fut ensuite marquée par l'édification de couvents, détruits à la Révolution. L'intérêt pour le quartier renaît finalement avec l'apparition du métier Jacquard, en 1800, qui nécessitait des ateliers hauts de plafonds. Les ouvriers de la soierie quittèrent le Vieux Lyon pour s'installer sur les pentes, où l'on construisit de nouveaux immeubles.

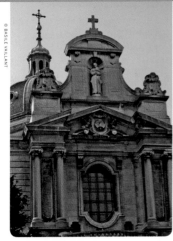

© BASILE VAILLANT

Façade de l'église Saint-Bruno-Les-Chartreux

et à l'acoustique impressionnantes. (☎04 78 39 01 06 ; 25 rue René-Leynaud, 1ᵉʳ ; Ⓜ Croix-Paquet)

Amphithéâtre des Trois-Gaules

VESTIGE ROMAIN

106 ◎ Plan E3

De multiples hypothèses furent émises quant à l'emplacement de cet amphithéâtre où les premiers chrétiens, au nombre desquels la future sainte Blandine, patronne de la ville, servirent de repas aux lions en 177. On pensa longtemps qu'il se trouvait sur la colline de Fourvière. Il fut finalement localisé en 1958 et partiellement mis au jour à partir de 1966. Construit en l'an 19, c'était à l'origine le lieu de rencontre des administrations des 60 villes des Trois Gaules (Lyonnaise, Aquitaine et Belgique). On y célébrait également de nombreuses festivités. On ne peut malheureusement qu'imaginer l'ampleur de l'amphithéâtre à l'époque gallo-romaine, puisque les gradins ont disparu. Un poteau en bois au centre de l'amphithéâtre rend hommage aux martyrs chrétiens. (Rue des Tables-Claudiennes, 1ᵉʳ ; ⊘mi avr-mi sept 7h-21h, mi sept-mi avr 7h-19h ; Ⓜ Hôtel-de-Ville ou Croix-Paquet)

Atelier de soierie

ARTISANAT

107 ◎ Plan G3

Le dernier atelier traditionnel lyonnais d'impression au cadre de la soie. On peut assister à une démonstration et voir comment chaque couleur est apposée individuellement à l'aide d'une sorte de pochoir. Même si vous n'êtes pas passionné par la soierie, vous pourrez apprécier l'humour décapant des commentaires ! Au 1ᵉʳ étage, des métiers permettent de réaliser de la panne de velours. L'atelier fait aussi boutique. (☎04 72 07 97 83 ; www. atelierdesoierie.com ; 33 rue Romarin, 1ᵉʳ ; entrée libre, visite possible avec ou sans l'office du tourisme, réservation conseillée par e-mail ; ⊘lun-ven 9h30-13h et 14h-18h30 sam 9h-13h et 14h-18h; Ⓜ Hôtel-de-Ville)

Église Saint-Bruno-Les-Chartreux

SPLENDEUR BAROQUE

108 ◎ Plan D3

Cette église baroque, l'une des plus belles de France, a fait l'objet

Comprendre
La révolte des canuts

Au nombre des termes typiquement lyonnais, on trouve le "canut", ouvrier de la soie, lequel travaille pour un "soyeux", marchand et fabricant. C'est François Ier qui réussit au XVIe siècle à convaincre les Lyonnais de s'engager sur le marché de la soie. En 1540, un édit royal accorda à Lyon le monopole de cette industrie. Les canuts s'implantèrent d'abord dans le Vieux Lyon et sur la Presqu'île, avant de migrer sur les pentes de la Croix-Rousse au moment de l'apparition du métier Jacquard en 1801. En effet, si cette nouvelle technique facilitait le travail de la soie, elle nécessitait aussi des ateliers de plus de 4 mètres sous plafond. De nouveaux immeubles, également plus lumineux, furent donc construits pour les accueillir. À la fin du XVIIIe siècle, après les événements révolutionnaires, l'industrie de la soie déclina un peu, puis reprit des couleurs avec Napoléon. En 1831, une première révolte des canuts, qui réclamaient une augmentation de leur traitement, éclata. Après avoir obtenu gain de cause, ils furent finalement soumis et les nouveaux tarifs n'entrèrent jamais en application. La deuxième révolte, trois ans plus tard, fut elle aussi réprimée. Malgré leur échec, ces mouvements marquèrent le début des revendications ouvrières dans toute la France. Le XXe siècle et la mécanisation grandissante provoquèrent la fin de la soierie artisanale lyonnaise. Pour en savoir plus sur la soierie lyonnaise, vous pouvez visiter la Maison des canuts (p. 64) et l'Atelier de soierie (p. 70).

d'importants travaux de rénovation. Il est à nouveau possible d'admirer cet édifice dont la première pierre a été posée à la fin du XVIe siècle, mais qui ne fut vraiment achevé qu'au XVIIIe siècle. Tout ici mérite qu'on s'y arrête, tant l'architecture du bâtiment est riche. Parmi les éléments les plus notables, le dôme à tambour haut, dont les plans datent de 1736, est particulièrement impressionnant avec ses 39 m de hauteur et ses 10 m de largeur. La façade néobaroque comporte un porche surmonté d'un balcon et

d'une niche dissimulant une statue de saint Bruno. À l'intérieur, on notera le grand baldaquin. (☏ 04 72 10 96 55 ; www.baroque-stbruno.com ; 56 rue Pierre Dupont, 1er ; ☺ lun-sam 15h-17h, messe dim 11h ; bus 13 depuis Ⓜ Hôtel-de-Ville)

Se restaurer

Yomogi   JAPONAIS €

109 ✗ Plan F3

Cette adresse est devenue en quelques mois seulement la nouvelle

À savoir

Envie de verdure ?

Assurant la jonction entre les quais de la Saône et les pentes, le vaste **Parc de la Cerisaie** (plan B1-C2 ; 25 rue Chazière ; ☺ oct-avr 8h-19h, mai-sept 8h-22h ; 🚇 S4 Résidence le Parc) est idéal pour flâner à l'ombre par une belle journée d'été. Il abrite la Villa Gillet, ancienne propriété de la famille des teinturiers sur soie Gillet, qui est aujourd'hui un lieu culturel dédié aux grandes questions de société et aux arts contemporains. Il accueille également la vigne du clos des Canuts : 300 pieds de vignes parrainés par les membres de l'association la République des Canuts, jumelée avec la République de Montmartre. Le **Jardin des Chartreux** (plan D3 ; 36 cours Général-Giraud, ☺ tlj 24h/24h ; 🚇 Hôtel-de-Ville, 🚌 6 Jardin des Plantes), également en pente, est composé de 3 terrasses qui épousent l'inclinaison de la pente. À 212 m d'altitude, le sommet offre un très beau point de vue sur les méandres de la Saône et la colline de Fourvière. Chaque jeudi soir en été, les **Jeudis des Musiques du Monde** animent les lieux avec des concerts gratuits et très appréciés.

cantine tokyoïte du quartier. Ici, pas de sushis, les raviolis sont délicieux, mais la spécialité c'est les rãmen : aux algues, aux cœurs de bambou, au soja, aux oignons... Tout est bon et même l'addition ! (☎ 04 78 28 24 40 ; www.yomogilyon.com ; 5 place Sathonay, 1er ; ☺ tlj 11h-22h ; 🚇 Hôtel-de-Ville)

La Bonâme de Bruno   TRADITIONNEL INVENTIF €-€€

110   Plan G3

Le patron et sa femme sont tellement sympathiques qu'on y retournerait volontiers que pour eux. Aux fourneaux, Bruno Didierlaurent, ancien chef du bistrot Pizay, improvise, sur une base traditionnelle, une cuisine instinctive

aux accents orientaux et asiatiques. Une merveille... (☎ 04 78 30 83 93 ; www.restaurant-labonamedebruno.com ; 5 Grande-Rue-des-Feuillants, 1er ; ☺ mar-ven, sam soir uniquement; 🚇 Hôtel-de-Ville ou Croix-Paquet)

Balthaz'art   BISTRONOMIE €€

111   Plan F2

Perché au sommet des pentes de la Croix-Rousse, cette jolie table aux couleurs chaleureuses est l'antre d'un chef passionné : Frédéric D'Ambrosio. Cet artiste culinaire joue avec les textures, les saveurs et les couleurs pour le plaisir du palais et des yeux ! Du grand art à prix raisonnable. (☎ 04 72 07 08 88 ; 7 rue des Pierres-Plantées, 1er ; ☺ jeu-sam midi, mar-sam soir ; 🚇 Croix-Rousse)

Le Montana COUSCOUS €€

112 Plan F2

La vue sur Lyon depuis la terrasse de ce restaurant est incroyable. Et les spécialités berbères qu'on y sert sont à tomber. Abandonnez-vous aux pastillas et aux couscous sans inquiétude : l'addition, elle, ne vous fera pas tourner de l'œil. Réservation nécessaire. (☑ 04 78 28 54 06 ; http://restaurantlemontana.fr ; 26 rue Jean-Baptiste-Say et angle rue du Bon-Pasteur, 1er ; ☺ lun-sam ; Ⓜ Croix-Rousse)

Toutes les couleurs VÉGÉTARIEN €€

113 G3

Sans doute la meilleure table végétarienne de Lyon. Agnès concocte avec soin une cuisine bio vraiment gourmande et très créative, le tout à prix doux. Les associations de couleurs et de saveurs sont subtiles et très réussies ! (☑ 04 72 00 03 95 ; www.touteslescouleurs.fr ; 26 rue Imbert-Colomès ; ☺ mar-sam midi, ven et sam soir ; Ⓜ Croix-Paquet)

Les Chats siamois THAÏ €€

114 Plan G3

Ce restaurant gastronomique thaï est installé dans l'ancienne demeure des moines feuillants. La salle est un mélange surprenant de meubles et de calligraphies asiatiques, sans surcharge, sous une voûte en pierre et un plafond avec poutres apparentes. La cuisine, succulente, est à l'avenant : authentiquement thaïe, servie

dans des feuilles de bananier, mais accompagnée, fort à propos, de vins français. (☑ 04 78 39 34 72 ; 4 Petite-Rue-des-Feuillants, 1er ; ☺ lun-ven, sam soir ; Ⓜ Hôtel-de-Ville)

Maison Villemanzy CUISINE FINE €€

117 Plan G2

Depuis la terrasse et le petit jardin d'hiver de ce restaurant de Jean-Paul Lacombe, la vue sur Lyon est exceptionnelle. Cuisine raffinée et prix raisonnables, mais on vient surtout pour le cadre ! (☎04 72 98 21 21 ; www.maison-villemanzy.com ; 25 montée Saint-Sébastien, 1er ; ☺lun soir, mar-sam ; Ⓜ Croix-Paquet)

La Mère Brazier   GASTRONOMIQUE €€€

118 🍴 Plan G3

Une véritable institution, ouverte par Eugénie Brazier, l'une des plus célèbres mères lyonnaises (Bocuse fut l'un de ses apprentis). Repris en 2008 par le fameux chef Mathieu Vianney (du M Restaurant, p. 119), désigné meilleur ouvrier de France en 2004, le restaurant tient ses promesses. En effet, le talentueux chef a raflé deux macarons Michelin dès sa première année ! Service voiturier (8 €). Depuis 2012, un bar à vins ouvert du mardi au samedi jouxte également les lieux (au n°14). (☎04 78 23 17 20 ; www.lamerebrazier.fr ; 12 rue Royale, 1er ; ☺lun-ven 12h-13h30 et 19h45-21h30 ; Ⓜ Croix-Paquet)

Les Demoiselles de Rochefort   INFLUENCES MÉDITERRANÉENNES €€€

119 🍴 Plan G3

Idéal pour un tête-à-tête romantique, l'atmosphère délicieusement feutrée de cet établissement vous mettra tout de suite à l'aise. Meubles chinés, vieux tableaux, et objets collectionnés (parfois étranges !) s'y entremêlent avec grâce. Le chef Olivier Fontaine propose une cuisine de marché sans fausse note, adorablement teintée d'accents du Sud. Succulent ! (☎04 72 00 07 06 ; http://restaurant-lesdemoiselles.com ; 31 Rue René Leynaud, 1er ; ☺mar soir-sam soir ; Ⓜ Croix-Paquet)

Prendre un verre

Le Palais de la Bière   100% MALT

120 🍺 Plan F3

Comme son nom l'indique, la spécialité du lieu, c'est la bière. À la carte, 15 pressions différentes (dont 4 bières trappistes) et pas moins de 300 bières bouteille. Vous pourrez compter sur une aide précieuse et avisée pour faire votre choix.

© CLAIRE ANGOT

Toutes les couleurs (p. 73)

Excellents moules-frites et ambiance bon enfant. (📞 04 78 27 94 00 ; 1 rue Terme, 1er ; 🕐 mar-ven 18h-1h, sam 18-2h ; 🚌 6, 13 ou 18 arrêt Mairie-du-1er, Ⓜ Hôtel-de-Ville)

Le Café de la mairie COMME À LA MAISON

 121 Plan F3

La place Sathonay est le rendez-vous préféré des habitants du quartier pour l'apéro. L'intérieur ne paie pas de mine, mais la bonne ambiance est toujours de mise. Ici, rien de trop branché, accueil simple et atmosphère décontractée. (📞 04 78 28 08 67 ; 4 place Sathonay, 1er ; 🕐 lun-ven 7h-1h, sam 9h-1h ; Ⓜ Hôtel-de-Ville)

L'Impromptu Kafé EN TERRASSE

 122 Plan G2

Anciennement la Fourmi Rouge, c'est l'un des spots les plus agréables de la ville pour refaire le monde en été ! La terrasse sur la charmante place paisible ménage une vue magnifique et les prix y sont imbattables (bière 2 €, café 1 €, pizza 6 €). (📞 04 78 28 43 51 ; 7 place Colbert, 1er ; 🕐 lun 18h-1h, mar-dim 9h30-1h ; Ⓜ Croix-Rousse)

Au temps perdu PANORAMA

 123 Plan G2

Ici, ce qui est vraiment exceptionnel, c'est l'incroyable vue sur la ville… Voilà le lieu idéal pour un apéro estival au coucher du soleil ! Et si vous vous attardez pour dîner, Calou, aux fourneaux, propose une cuisine

honorable, même si la carte se renouvelle peu. Concerts le jeudi soir. (📞 04 78 39 23 04 ; www.temps-perdu.com ; 2 rue des Fantasques, 1er ; 🕐 lun-ven 19h-minuit, sam-dim 19h-2h ; Ⓜ Croix-Paquet)

Sortir

Bec de jazz CLUB

 124 Plan F3

Ambiance jazzy et chaleureuse pour ce piano-bar intimiste. Dans un décor de bric et de broc, les noctambules se pressent dans une ambiance bon enfant, et le patron, pianiste et peintre de son état, improvise parfois ses propres compositions. Un lieu atypique et hors du temps pour oiseaux de nuit. (📞 06 81 24 37 83 ; 19 rue Burdeau, 1er ; 🕐 mer-sam 23-6h ; Ⓜ Hôtel-de-Ville ou Croix-Paquet)

DV1 CLUB

 125 Plan G3

On est ici dans le temple de la musique électro : le DV1 reçoit de très bons DJ et propose aussi des soirées thématiques consacrées à des labels. Attention, le lieu est petit et donc souvent plein. Le bar est au rez-de-chaussée ; le dancefloor et les DJ au sous-sol. (📞 04 72 07 72 62 ; www.dv1-club.com ; 6 rue Violi, 2e ; entrée 5-10 € ; 🕐 jeu-dim 22h-4h ; Ⓜ Croix-Paquet)

Le Crazy CLUB GAY

126 Plan G3

Très populaire et souvent bondé, ce lieu incontournable de la scène gay lyonnaise fait dans l'ambiance collé-serré. Soirée transformiste un jeudi sur deux et tous les dimanches. (☏04 78 61 18 90 ; 24 rue Royale, 1ᵉʳ ; ☺jeu 20h-5h, ven et sam 23h-7h ; entrée 8€ avec conso et vestiaire ; Ⓜ Croix-Paquet)

Le Marais

CLUB LESBIEN

127 ⭐ Plan F3

C'est le seul club de Lyon destiné avant tout aux filles qui aiment les filles. Le dancefloor est particulièrement fréquenté le week-end, mais les soirées rencontres, chaque 3ᵉ vendredi du mois, et les soirées karaoké, le jeudi, sont également très appréciées. (☏04 78 30 62 30 ; www.lemaraislyon.fr ; 3 rue Terme, 1ᵉʳ ; ☺jeu 21h-3h, ven-sam 23h-5h ; entrée 8 à 10 € + conso 2 €)

Shopping

Les pentes de la Croix-Rousse ne manquent pas de petites boutiques de créateurs où l'on peut trouver des objets uniques : bijoux, vêtements, accessoires, maroquinerie, sculpture. Sans oublier les galeries d'art (voir encadré ci-contre).

Le Village des créateurs

MODE

128 🔒 Plan F3

Créé en 2001, ce "village" est une pépinière de jeunes créateurs : un bail d'un an, renouvelable une fois, est accordé à une dizaine d'entre eux ainsi que des conditions privilégiées pour faire connaître leur travail. Prêt-

🔍 100 % lyonnais

La ruée vers l'art

La **rue Burdeau** (Ⓜ Hôtel-de-Ville ou Croix-Paquet) compte près d'une dizaine de galeries d'art. Parmi elles, la galerie **Néon** (129 ⊚ plan G3 ; ☏04 78 39 55 15 ; www.chezneon.fr ; 41 rue Burdeau, 1ᵉʳ ; ☺mer-sam 14h-19h) s'attache à exposer la diversité d'une création artistique contemporaine émergente. D'autres galeries, comme la **galerie Mathieu** (130 ⊚ plan G3 ; ☏04 78 39 72 19 ; http://galeriemathieu.blogspot.fr ; 48 rue Burdeau, 1ᵉʳ ; ☺mer-sam 14h-19h), **Le Réverbère** (131 ⊚ plan G3 ; ☏04 72 00 06 72 ; www.galeriereverbere.com ; 38 rue Burdeau, 1ᵉʳ ; ☺mer-sam 14h-19h), **La Salle de bains** (132 ⊚ plan F3 ; ☺04 78 38 32 33 ; www.lasalledebains. net ; 27 rue Burdeau, 1ᵉʳ ; ☺mer-sam 13h-19h, mar 13h-19h sur RDV) ou, tout près de là, **Le Bleu du ciel** (133 ⊚ plan G2 ; ☏04 72 07 84 31 ; www.lebleuduciel.net ; 12 rue des Fantasques, 1ᵉʳ ; ☺mer-sam 14h-19h) déclinent l'art contemporain en photos, peintures ou autres installations.

à-porter, accessoires, bijoux, objets design : c'est l'occasion de découvrir les créations uniques de jeunes talents lyonnais. ☏04 78 27 37 21 ; www. villagedescreateurs.com ; passage Thiaffait, 19 rue Leynaud, 1ᵉʳ ; ☺mer-sam 14h-19h ; Ⓜ Croix-Paquet)

© CLAIRE ANGOT

Lutherie, peinture et dessin à l'Atelier Gédéon Sillac

Concept Brésil
BIJOUX

134 🔒 Plan F4

Dans sa boutique mouchoir de poche, le créateur Roberto Cavalcante propose des bijoux uniques et ethniques, mêlant argent, pierres et matériaux naturels (noix de coco, bois, plumes ou graines). (🖉 04 72 87 05 39 ; http://concept.bresil.free. fr ; 31 rue Terme, 1ᵉʳ ; ⊙mar-ven 13h-19h, sam 10h-18h ; Ⓜ Hôtel-de-Ville)

Atelier Gédéon Sillac
PEINTURE, SCULPTURE, LUTHERIE

135 🔒 Plan F3

Peinture à l'huile, sculpture, luminaires, lutherie... Ici, chaque pièce est unique. Touche-à-tout autodidacte, Gédéon Sillac aime à faire de son atelier un lieu de passage pour artistes. Des rencontres musicales y ont souvent lieu le dimanche soir. (🖉 04 78 30 98 06/ 06 62 65 93 95 ; www.gedeonsillac.com ; 9 rue Burdeau, 1ᵉʳ ; ⊙tlj 11h-2h ; Ⓜ Croix-Paquet)

Explorer

Le Vieux Lyon

Ce beau quartier Renaissance, l'un des mieux réhabilités d'Europe, s'étend sur 25 hectares le long de la rive droite de la Saône et englobe, du sud au nord, les quartiers de Saint-Georges, de Saint-Jean et de Saint-Paul. Tout au sud se dressaient autrefois les remparts de la ville. Touristique et fréquenté, le Vieux Lyon n'en recèle pas moins quelques secrets dont la découverte est un plaisir.

L'essentiel en un jour

Commencez par une visite du **musée Gadagne** (p. 82), où défile l'histoire de Lyon. Prévoyez 2h de visite, avec une pause dans les délicieux jardins suspendus. Déambulez ensuite dans le quartier Saint-Jean, arpentez **les rues médiévales**, prenez-vous au jeu des **traboules** (p. 89) et percez les secrets architecturaux du quartier (p. 134). Allez "pousser le bouchon" aux **Trois Maries** (p. 92).

Après la pause repas, rendez-vous à la **cathédrale Saint-Jean** (p. 80). Essayez d'être là aux heures où **l'horloge astronomique** s'anime. Ensuite, direction le superbe site Renaissance et la collection du **musée Miniature et Cinéma** (p. 88). Après cela, place à la découverte des trésors oubliés du quartier **Saint-Georges** (p. 84).

À l'heure de la bière vespérale, pourquoi ne pas réviser votre accent *so british* et tester l'un des **pubs irlandais** (p. 85) qui animent le quartier ? Vous pourrez ensuite flâner le long de la Saône et admirer les éclairages de la passerelle Saint-Georges, puis ceux du quartier Saint-Jean. Vous êtes bien dans la ville Lumière... Pour conclure cette belle journée de découvertes, vous trouverez facilement où dîner ainsi que plusieurs glaciers très agréables ouverts le soir (p. 91).

Les incontournables

Primatiale Saint-Jean (p. 80)

Musée Gadagne (p. 82)

100% lyonnais

Saint-Georges : vieilles pierres et pubs irlandais (p. 84)

Le meilleur du quartier

Salons de thé/glaciers

Nardone (p. 91)

Savanah (p. 91)

Bâtisses Renaissance

La Maison des Avocats (musée Miniature et Cinéma p. 88)

Le musée Gadagne (p. 82)

La Tour Rose (p. 93)

Rues médiévales

Rue du Bœuf (p. 135)

Rue Juiverie (p. 134)

Rue Tramassac (plan E6)

Montée du Gourguillon (p. 85)

Comment y aller

Ⓜ Métro D, arrêt Vieux-Lyon (Cathédrale Saint-Jean).

🚊 Bus C3 depuis la Part-Dieu pour le quartier Saint-Jean

🚲 Vélo Plusieurs stations Vélo'v : Saint-Jean, rue de la Baleine, place, quai Romain-Rolland, place Crêpu...

Les incontournables
Primatiale Saint-Jean

Si vous ne devez entrer que dans une seule église, optez pour celle-là ! La cathédrale Saint-Jean-Baptiste est l'église de l'archevêque, historiquement primat des Gaules, et porte donc le titre de primatiale des Gaules. Depuis la place Saint-Jean, sa façade gothique majestueuse impressionne. Sa construction, particulièrement longue – du XIIᵉ au XVᵉ siècle pour sa plus grande partie – explique que l'édifice comporte à la fois des parties romanes et des parties gothiques. À l'intérieur, ne manquez pas ses vitraux et son horloge astronomique, remarquables.

👁 Plan E6

Place Saint-Jean, 5ᵉ

Ⓜ Vieux-Lyon

🕓 lun-ven 8h15-19h45, sam 8h15-19h, dim 8h-19h

Les portes de la Primatiale

À ne pas manquer

La façade

À l'origine ornée de statues – détruites par les calvinistes au XVIe siècle –, la superbe façade gothique comporte trois portes, encadrées de près de 300 médaillons représentant des scènes bibliques, historiques et domestiques. La porte centrale est surmontée d'une grande rosace de 8 m de diamètre, datant de 1392, encadrée par deux niches. Celle de gauche abrite une horloge du XIVe siècle. Au-dessus de la rosace, sur le grand triangle, se cachent des statues de Marie, de l'ange Gabriel et, au sommet, de Dieu.

L'intérieur

La sobriété de la nef, de l'abside et du chœur, avec les travées d'ogives de style roman, contraste avec la chapelle des bourbons (sur votre droite en entrant, après le chœur d'hiver), dont les ouvertures sur le mur menant à la sacristie sont de style gothique flamboyant. La cathédrale recèle de nombreux vitraux : ceux du chœur font partie des plus beaux.

L'horloge astronomique

Probablement conçue au XIVe siècle et modifiée à plusieurs reprises jusqu'au début du XVIIe siècle, la superbe horloge astronomique, à gauche de l'autel, est l'une des plus anciennes d'Europe. Merveille de technicité, avec ses aiguilles dont la taille s'adapte à l'ovale du cadran, elle sonne à 12h, 14h, 15h et 16h précises : les automates se mettent alors en marche. Un ange commence par retourner un sablier tandis qu'un autre agite ses bras comme un chef d'orchestre. Le coq chante alors trois fois et les anges actionnent des cloches. Le Suisse salue la foule en entamant une ronde qu'il terminera quand l'heure sonnera. Gabriel fait son annonce à Marie et une colombe, l'Esprit saint, descend vers elle. Le Père procède alors à une bénédiction.

☑ À savoir

▶ La cathédrale fut un haut-lieu spirituel et un site important dans l'histoire de France. Elle a vu se dérouler les 13e et 14e conciles œcuméniques, le couronnement du pape Jean XXII et le mariage d'Henri IV avec Marie de Médicis.

▶ Pour les passionnés, un dépliant explicatif est remis sur place et des ouvrages sont en vente.

▶ Visite guidée avec la **Pastorale Tourisme et Loisirs** (☺ sam et dim après-midi, et 3e mer du mois, entre 14h30 et 17h30 ; ☎ 04 78 38 05 18).

▶ Visite accessible en fauteuil roulant.

✕ Une petite faim ?

À deux pas de là, **Comme chez Mathilde** (p. 91) est un salon de thé un chouia rustique qui propose des formules pour toutes les faims (excellentes soupes, planches de charcuterie, cakes, formule brunch très copieuse...).

Les incontournables
Musée Gadagne

👁 Plan E5

📞 04 78 42 03 61

www.gadagne.musees.lyon.fr

1 place du Petit-Collège, 5ᵉ

Ⓜ Vieux-Lyon

Tarif plein/réduit 6/4 € ou 8/6 € pour les 2 musées, gratuit Lyon City Card

🕐 mer-dim 11h-18h30

Ancienne propriété de la famille Gadagne, l'une des plus importantes fortunes lyonnaises, ce somptueux ensemble Renaissance date de la première moitié du XVIᵉ siècle. Classé en 1920, il a fait l'objet d'une réhabilitation colossale dès 1999, qui a duré une dizaine d'années. Il abrite aujourd'hui deux musées : celui de l'Histoire de Lyon et celui des Marionnettes du monde. Le lien entre ces deux sujets ? Guignol, bien évidemment, création lyonnaise s'il en est, et personnage emblématique de la ville.

L'ensemble Gadagne vu depuis la Grande Cour

À ne pas manquer

Le musée d'Histoire de Lyon

À travers 80 000 objets (plans, mobilier, œuvres d'art, gravures fascinantes) et 31 salles d'exposition, le passé et l'évolution de la ville s'exposent, du Moyen Âge au XIXe siècle : urbanisme, histoire politique et sociale, économique, culturelle, spirituelle et intellectuelle… La multiplicité des visages de Lyon est saisissante : capitale des Gaules, ville de la soie, des banques, des révoltes ouvrières, des industries de l'automobile, puis chimiques et pharmaceutiques, ville de l'invention du cinéma… Des ateliers pédagogiques sont proposés et un centre de documentation est accessible sur rendez-vous.

Le musée des marionnettes du monde

Le musée consacré aux marionnettes fait bien entendu la part belle à Guignol et à ses comparses, mais on peut aussi y voir des marionnettes du monde entier, à tringles, à tiges ou encore à fils. Le fonds contient plus de 2 000 marionnettes et un millier de castelets, costumes, affiches, manuscrits…

Les jardins suspendus

Tout en haut du musée, en terrasse, ce petit coin de verdure est un endroit bien agréable en plein cœur de la ville. L'accès est libre, et vous y trouverez de quoi boire et grignoter (voir ci-contre). Vous y verrez de beaux spécimens de plantes ornementales, tinctoriales (pour les colorants ou les teintures) et médicinales. Des grottes de fraîcheur et une fontaine initialement conçues au XVIIe siècle ont aussi été réaménagées.

☑ À savoir

▶ Des ascenseurs et une plate-forme élévatrice permettent aux personnes à mobilité réduite d'éviter les escaliers à vis aux marches hautes. De ce point de vue, la rénovation du musée a été particulièrement bien pensée.

▶ Les deux musées organisent régulièrement des expositions temporaires. Des spectacles ont lieu dans le Petit Théâtre.

▶ Si vous ne visitez pas le musée, vous pouvez aussi juste jeter un coup d'œil à la très belle cour intérieure de l'hôtel Gadagne.

✕ Une petite faim ?

Accroché aux Jardins suspendus, le **Café Gadagne** (p. 91) propose salades, tartares, viandes et poissons, et une formule brunch le dimanche.

100% lyonnais
Saint-Georges : vieilles pierres et pubs irlandais

Situé au pied de la colline de Fourvière, le quartier Saint-Georges s'étend au sud le long de la Saône tandis qu'au nord, rue Ferrachat, commence Saint-Jean. Par méconnaissance, il est souvent délaissé par les touristes qui, au sortir du métro, partent au nord voir la cathédrale Saint-Jean.

❶ Place de la Trinité et maison du Soleil

Au cœur du quartier Saint-Georges, cette jolie place abrite la **maison du Soleil**, qui date du XVIIIᵉ siècle. Elle tire son nom de la famille Barou du Soleil, qui vécut ici, et dont l'emblème était l'astre solaire. C'est aujourd'hui un restaurant (p. 92) où l'on sert de délicieuses quenelles et vous y verrez de belles fresques.

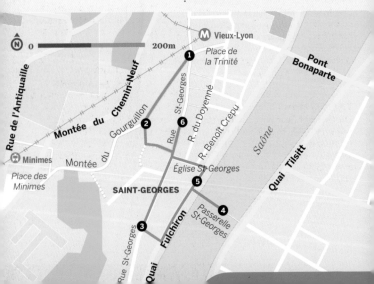

❷ Montée du Gourguillon

Juste à droite de la maison du Soleil, c'est l'une des plus anciennes voies lyonnaises. Elle fut longtemps l'unique axe reliant le groupe épiscopal de Saint-Jean et la basilique Saint-Just (voir p. 103). Elle a vu défiler quantité d'archevêques, rois et papes... En 1305, le pape Clément V se fait couronner à la basilique Saint-Just et redescend vers Saint-Jean. Il chute de sa monture et la légende raconte qu'il aurait perdu le gros diamant ornant sa tiare. Personne ne l'a jamais retrouvé... La montée vous offrira un beau panorama sur Lyon si vous avez le courage de battre ses pavés. De là, vous pourrez poursuivre votre balade dans Fourvière (p. 96).

❸ Rue Saint-Georges

C'est l'une des plus typiques du quartier. Poussez les portes, vous découvrirez des cours, des traboules, des allées richement décorées, des escaliers à vis, et de beaux ouvrages sculptés... C'est aussi ici que se trouve le musée de la Renaissance des automates (p. 90).

❹ Passerelle Saint-Georges

Elle relie le secteur au quartier d'Ainay (sur la Presqu'île) depuis 1853. Elle est constituée d'une travée de 87 m suspendue par des haubans. Détruite en 1944, elle a été reconstruite à l'identique.

❺ Places François-Bertras, de la Commanderie et Benoît-Crépu

Autour de l'**église Saint-Georges** (p. 88), ces places ont été récemment réaménagées. Vous pourrez y admirer les quais de Saône, les immeubles du XIXᵉ siècle, notamment l'**immeuble Blanchon**, maison construite en 1846 par Pierre Bossan dans un style mauresque mélangeant influences arabe, médiévale et italienne.

❻ Pubs irlandais

La rue Saint-Georges et ses environs regorgent de pubs irlandais où il fait bon s'attarder autour d'une bière. Plutôt en bas de la rue, au n°20, à l'**Antidote** (☎04 78 37 54 94 ; ⏱ tlj 17h-1h) cocktails et pintes de Guiness s'entrechoquent au fil des conversations *in english, please* ! Au n°48, au **Johnny's Kitchen** (☎04 78 37 94 13 ; ⏱ tlj 11h-3h, dim 1h), les burgers sont exquis et le quizz du mardi soir déplace les foules. Plus haut encore, au n°56, le **Johnny Walsh's** (☎04 78 42 98 76 ; ⏱ mar-dim 9h-3h) est très appécié les soirs de match et de concerts (⏱ jeu-dim). À tester également : le **O'Tooley's** (☎04 72 40 00 92 ; 7 quai Fulchiron, ⏱ tlj 11h-1h), pour son ambiance intimiste et son cidre irlandais.

Voir

Place Saint-Jean
PARVIS CENTRAL

136 🎯 Plan E6

La place est dominée par la cathédrale Saint-Jean-Baptiste (p. 80), qui lui a donné son nom. À droite de la cathédrale lorsque l'on fait face au porche, on peut observer une façade visiblement plus ancienne que celle de la Primatiale. Il s'agit de la très romane manécanterie, ancienne demeure des petits clercs, datant du XIe siècle. Elle abrite le **musée du Trésor** (🕐 mar-ven 10h-12h et 14h-18h, sam jusqu'à 19h du 1er mai au 14 nov). Sur la place, une fontaine représente le baptême du Christ. (Ⓜ Vieux-Lyon)

Palais de justice
COLONNES CORINTHIENNES

137 🎯 Plan E5

Récemment rénové, ce majestueux bâtiment du XIXe siècle détonne un peu dans le quartier. Conçu par Louis-Pierre Baltard (le père de Victor Baltard, architecte des Halles à Paris) sur le modèle du temple antique, il fut construit sur le site de l'ancienne "maison de Roanne", siège des juridictions royales dès le XVe siècle, et achevé en 1847. C'est aux colonnes corinthiennes de sa façade tout en longueur qu'il doit son surnom : "les 24 colonnes". Il accueille aujourd'hui la cour d'assises et la cour d'appel, et ne se visite que lors des Journées du Patrimoine. C'est bien dommage : ses vastes salles ont conservé le mobilier et les boiseries imaginés par Baltard et deux plafonds portent des peintures superbes, datant de la Renaissance. (📞 04 72 77 30 30 ; quai Romain-Rolland, 5e ; Ⓜ Vieux-Lyon)

Jardin archéologique
RUINES

138 🎯 Plan E6

Situé au nord de la primatiale Saint-Jean, l'agréable jardin archéologique, aussi appelé jardin Girard-Desargues, est né au hasard d'un projet d'extension du palais de justice en 1960. Les travaux permirent de retrouver la trace de bâtiments médiévaux. On peut aujourd'hui voir les restes du baptistère paléochrétien de l'église Saint-Étienne, ainsi que l'abside et un arc gothique de l'église Sainte-Croix. Toutes deux furent détruites à la fin du XVIIIe siècle alors qu'elles formaient un ensemble religieux avec la cathédrale. (angle rue Mandelot et rue de la Bombarde, 1er ; entrée libre ; 🕐 tlj ; Ⓜ Vieux-Lyon)

Loge du Change
ANCIENNE BOURSE

139 🎯 Plan E5

Au Moyen Âge et pendant la Renaissance, la place du Change était la place commerciale de la ville. S'y tenaient les foires annuelles et la quasi-totalité des tractations commerciales. Construite en 1630, la loge du Change fut tout d'abord la Bourse de Lyon. Elle fut agrandie en 1747 d'après des plans de Soufflot. Au final, le bâtiment de style classique comporte cinq arcades au rez-de-chaussée, lesquelles sont

© BASILE VAILLANT

L'église Saint-Paul

surmontées de cinq grandes fenêtres au 1er étage. Soufflot ajouta également une grande salle sous voûte. Transformée en auberge pendant la Révolution, la Loge fut finalement donnée en 1803 aux protestants qui y établirent un temple, qu'elle abrite toujours aujourd'hui. (Place du Change, 5e ; M Vieux-Lyon)

Église Saint-Paul

MÉLANGE DES GENRES

140 ⊙ Plan E4

Cette église située au nord de Saint-Jean est, comme la Primatiale, faite d'un mélange de styles assez intrigant. Sa construction a débuté au XIe siècle sur le site d'un ancien monastère, dans un style roman, puis s'est poursuivie durant une grande partie du XIIe siècle et a été complétée au fil du temps. Elle fut donc édifiée sur un substrat roman, qui lui donne son aspect d'ensemble, avec des chapelles débordant de la nef et, au-dessus du transept, une superbe tour-lanterne octogonale. Le clocher est en revanche de style gothique, alors que la flèche, ajoutée en 1875, est néogothique, de même que le portail. On constate donc depuis l'extérieur le véritable catalogue architectural que constitue Saint-Paul. À l'intérieur, les piliers des travées possèdent des chapiteaux sculptés de toute beauté. Parmi les éléments notables : la chapelle Sainte-Marguerite, la deuxième à droite, recèle une fresque colorée représentant des anges musiciens. (☎ 04 78 28 34 45 ; place Gerson/ rue Saint-Paul, 5e ; M Vieux-Lyon)

Escaliers, cours et traboules dans le Vieux Lyon

Église Saint-Georges NÉOGOTHIQUE

141 ◉ Plan E7

Construite sur le site d'une ancienne église dédiée à sainte Eulalie, cette église néogothique a été réalisée en 1844 par Pierre Bossan, à qui l'on doit également la basilique de Fourvière (p. 98). On repère de loin son clocher, haut de 67 m. Sur la façade, des statues de saint Pierre et de saint Jean encadrent le portail, surmonté d'une sculpture de saint Georges à cheval terrassant le dragon. L'intérieur de l'église présente un mobilier néogothique mais aucune autre caractéristique notable. Aujourd'hui, l'église est connue pour prôner un respect strict du dogme catholique. Aussi, ici encore

plus qu'ailleurs, veillez à ne pas entreprendre une visite durant un office. (☎ 04 72 77 07 90 ; rue Saint-Georges, 5ᵉ ; Ⓜ Vieux-Lyon)

Musée miniature et cinéma INFINIMENT PETIT

142 ◉ Plan E5

Dan Ohlmann a été ébéniste, sculpteur et architecte d'intérieur avant de s'adonner à sa passion pour la miniature en fondant ce lieu unique et insolite. Situé en plein cœur du Vieux-Lyon, dans le cadre prestigieux de la Maison des avocats (classée à l'Unesco), ce musée est dédié, comme son nom l'indique, à l'art de la miniature et présente des centaines de pièces hyperréalistes minutieusement réalisées depuis 20 ans par Dan Ohlmann lui même. Parmi les ouvrages les plus fascinants, les reproductions de monuments ou d'édifices du patrimoine lyonnais, tels que le dôme de l'Opéra, un atelier de canuts ou encore la prison Saint-Paul. Cet incroyable ensemble de "micromondes" est entouré d'une multitude de miniatures réalisées par d'autres artistes venus du monde entier. Le musée accueille également des expositions temporaires et un atelier de conception des miniatures, ouvert au public, au 3ᵉ étage.

Passion du cinéma oblige, Dan Ohlmann a consacré une partie du rez-de-chaussée aux effets spéciaux de cinéma, avec une jolie exposition en accès libre : décors de tournages,

Comprendre

Les traboules

Construites à la Renaissance dans le Vieux-Lyon, puis lors de l'installation des canuts (ouvriers de la soierie) à la Croix-Rousse, les traboules sont tout à fait typiques de la ville – quoiqu'on en trouve aussi à Villefranche-sur-Saône, Macon, Saint-Étienne... Quelques-unes sont également situées sur la Presqu'île.

"Trabouler", c'est entrer dans un immeuble via un couloir fermé, puis arriver dans une cour donnant accès à un deuxième immeuble dont le couloir débouche sur une autre rue (ou pourquoi pas, sur un troisième immeuble avant de donner sur la rue). Il suffit de pousser les portes d'entrée des immeubles pour y pénétrer.

L'idée peut paraître obscure avant de l'avoir testée grandeur nature, mais en se baladant dans le Vieux-Lyon, l'on se pique vite au jeu d'essayer de deviner quelle porte dissimule une traboule et d'emprunter des raccourcis (voir p. 134).

La fonction de ces passages est incertaine. Le plus probable est le gain de place : grâce aux traboules, on pouvait bâtir deux édifices à une distance moins important que si on les séparait par une rue. D'aucuns relèvent aussi que ces couloirs fermés avaient l'avantage de protéger le tissu de la poussière et de la pluie lors des transports. Bien plus tard, en tout cas, elles ont été très utilisées par les résistants lors de la Seconde Guerre mondiale.

Lyon compte environ 320 traboules, dont près de 50 ouvertes au public (en général de 9h à 18h, parfois de 9h à 12h). À Saint-Jean, rares sont celles qui sont signalées, alors qu'à la Croix-Rousse, des panneaux carrés à fond jaune avec un rond bleu orné d'une tête de lion les indiquent. Les traboules du Vieux-Lyon sont souvent construites sur le modèle du patio romain, avec des galeries et un puits dans la cour. Parmi les plus intéressantes, la plus longue, qui traverse quatre immeubles , dite "la longue traboule": on entre au 27 rue du Bœuf et on ressort au 54 rue Saint-Jean. Il existe des traboules de plusieurs sortes : en angle, directe (on voit la sortie dès l'entrée) ou à détours, rayonnante (au cœur d'un îlot d'habitations avec plusieurs accès possibles)...

L'office du tourisme (p. 159) propose un circuit des traboules et un plan détaillé. Quant aux geeks et aux impatients, ils trouveront une application smartphone permettant de les localiser grâce à la réalité augmentée.

> ## Comprendre
> ### Le Vieux Lyon sauvé de justesse
>
> Le Vieux Lyon et ses trésors n'ont pas toujours eu un visage aussi présentable. Après le départ de l'industrie de la soie, le quartier mit du temps avant de se réinventer en pôle touristique majeur. Les échanges et l'économie y ont été trop longtemps ensommeillés : de quoi rendre le quartier insalubre et inhospitalier par endroits. Cette période de déclin faillit lui être fatale. Dans les années 1960, le maire de la ville, Louis Pradel, eut pour projet de raser le Vieux Lyon. Des voix s'élevèrent pour protester. Ouf ! Leur écho arriva jusqu'aux oreilles d'André Malraux, alors ministre des Affaires culturelles, qui fit stopper *in extremis* la destruction du quartier et permit de mettre en œuvre une vaste réhabilitation.

objets originaux du cinéma, miniatures, robots, animatroniques, masques, prothèses, costumes, créatures et monstres de films en tous genres... (📞 04 72 00 24 77 ; www.mimlyon. com ; Maison des avocats, 60 rue Saint-Jean, 5ᵉ ; réduit/adulte 6/8€, gratuit moins de 4 ans et avec la Lyon City Card ; 🕐 lun-ven 10h-18h30, sam-dim 10h-19h, tlj vacances et jours fériés 10h-19h ; Ⓜ Vieux-Lyon)

Musée des Automates MÉLODIE ET MÉCANIQUE

143 ◉ Plan D7

Ensorcellement garanti dans ce musée qui présente plus de 250 automates en mouvement dans 7 salles et 20 scènes en son et lumière : des scènes de la vie quotidienne, comme cet atelier de canuts utilisant le métier Jacquard, mais également des hommages à des artistes – écrivains, peintres, musiciens. On peut voir s'animer des personnages de Pagnol, *Des Glaneuses* de Millet, ou encore une pièce inspirée de *Vingt mille lieues sous les mers* de Jules Verne. Le résultat est saisissant.

L'atelier du musée, créé en 1946, peut aussi concevoir et construire un automate unique, à votre idée. Certains modèles peuvent également être loués. En dehors des classiques cartes postales, la boutique propose de superbes boîtes à musique (de 45 à 1 600 € ; possibilité de commander via le site Internet). (📞 04 72 77 75 20 ; www.museeautomates. com ; 100 rue Saint-Georges, 5ᵉ ; réduit/adulte 5,50/7,50 € ; 🕐 tlj 14h-18h ; Ⓜ Vieux-Lyon)

Se restaurer

Les quartiers de Saint-Jean et de Saint-Paul comptent un nombre impressionnant de bouchons. Malheureusement, une grande partie d'entre eux sert à la chaîne des plats de qualité médiocre aux touristes qui s'y pressent (pour une sélection avertie, rendez-vous p. 138). Toutefois, quelques bons établissements traditionnels, ainsi que d'autres types de restaurants, sont aussi installés ici.

Le Savanah
SALON DE THÉ/GLACIER

144 Plan E5

Délicieux chocolats chauds, thés (25 variétés) et crêpes l'hiver ; jus de fruits frais et glaces artisanales l'été. Une pause dans cette jolie bâtisse du XVe siècle (les anciennes écuries de la maison des gardes) ou sur sa terrasse est toujours un délice. (☎04 78 39 22 41 ; 4 place du Change ; ⏱ mar-dim ; Ⓜ Vieux-Lyon)

Comme chez Mathilde
SALON DE THÉ/CHARCUTERIE

145 Plan E5

Nappes à carreaux rouges et grandes tablées rustiques, cette épicerie fine est aussi un salon de thé cosy qui propose à toutes heures, petit-déjeuner, brunch, soupes, assiettes de charcuterie, fromages, cakes ou autres terrines maison... Un régal ! (☎04 78 37 01 81 ; www.commechezmathilde.com ; 66 rue Saint-Jean, 5e ; ⏱ lun 10h-18h, mar-dim 10h-20h ; Ⓜ Vieux-Lyon)

Nardone
GLACIER

146 Plan E4

L'un des plus anciens (1923) – et l'un des plus célèbres aussi – glaciers de Lyon. Deux enseignes, la première entre l'Hôtel-de-Ville et la place Sathonay (p. 43), et une autre, plus récente, dans le Vieux Lyon. Les coupes ne sont pas seulement alléchantes, elles sont très bonnes !

Avec un tout petit bémol : un rapport quantité/prix qui pourrait être plus favorable... (☎04 78 28 29 09 ; www. glaciernardone.com ; 3 place Ennemond-Fousseret, 5e ; ⏱ tlj 9h-24h ; Ⓜ Vieux-Lyon)

Café Gadagne
EN HAUTEUR €€

Voir **Musée Gadagne** ⊙ Plan E5

À l'abri du tumulte et de l'agitation du Vieux Lyon, une pause gourmande dans les jardins suspendus du musée Gadagne (p. 82). Au 4e et dernier étage se dissimule un véritable havre de paix. Aux beaux jours, le brunch en terrasse vaut le détour ! (☎04 78 37 69 95 ; 1 place du Petit-Collège, 5e ; ⏱ mer-dim 11h-18h30 ; Ⓜ Vieux-Lyon)

Pause sur l'un des nombreux escaliers du quartier

Cadre chaleureux à la Nef des Fous (p. 93)

Penjab

INDIEN ET PAKISTANAIS €

147 Plan E6

Sur les quais de Saône, en contrebas du flot de voitures, une des meilleures adresses pour goûter des spécialités indo-pakistanaises. Excellents *naan*s au fromage et succulents curries, à prix très raisonnables. (☎04 78 42 36 76 ; 26 bis quai Romain-Rolland, 5ᵉ ; ☻tlj soir uniquement ; ⓂVieux-Lyon)

Aux Trois Maries

BOUCHON €€

148 Plan E5

L'un des trop rares bons bouchons du Vieux Lyon. Fréquenté autrefois par Éluard et Aragon, c'est un des plus vieux de la ville. Si l'intérieur n'a rien d'exceptionnel (préférez la terrasse si le temps le permet), la cuisine, elle, est

parfaite pour découvrir les spécialités lyonnaises. (☎04 78 37 67 28 ; http:// aux-3-maries.fr ; 1 rue des Trois-Maries, 5ᵉ ; ☻mar-sam soir ; ⓂVieux-Lyon)

Au 14 février

GASTRONOMIQUE €€

149 Plan E6

Une des adresses les plus prisées du Vieux Lyon ! Arai Tsuyoshi, chef japonais, figure parmi les révélations gastronomiques de ces dernières années. Une cuisine de haut vol, mais pour seulement 14 couverts... Réservation – très à l'avance – indispensable ! (☎04 78 92 91 39 ; http:// au14fevrier.com ; 6 rue Mourguet, 5ᵉ ; ☻mar-ven soir uniquement, sam ; ⓂVieux-Lyon)

Café du soleil

LYONNAIS €€

150 Plan E6

À l'angle de la rue Saint-Georges et de la montée du Gourguillon, face au théâtre de Guignol, on mange au Café du soleil les meilleures quenelles de la ville. La salade lyonnaise est également très réussie, ainsi que le gratin dauphinois aux cèpes, très demandé. (☎04 78 37 60 02 ; 2 rue Saint-Georges, 5ᵉ ; ☻lun-sam été, mar-dim midi hiver ; ⓂVieux-Lyon)

Le Sambahia

BRÉSILIEN €€

151 Plan E6

On sert ici une cuisine brésilienne à déguster au son de la samba et du *forró*. Vous êtes novices ? Essayez donc le *churrasco* (barbecue de viandes grillées), très typique. L'accueil chaleureux et l'ambiance festive, particulièrement en soirée, font bien vite oublier que le cadre et le mobilier en rotin ne sont pas des plus originaux. (☎04 78 37 82 10 ; www.sambahia.fr ; 13 rue Doyenné, 5ᵉ ; ☺lun-sam ; Ⓜ Vieux-Lyon)

La Nef des Fous   ROMANTIQUE €€

152 Plan E5

Face à la cour des Loges, ce restaurant est un incontournable. Déco chinée, lumières tamisées, service discret, présentation soignée et, surtout, cuisine raffinée (mais pas toujours égale). Le lieu est idéal pour vos dîners en tête à tête. Le foie gras et son chutney sont succulents et les desserts sont aussi beaux que bons. (☎04 78 42 73 67 ; www.la-nef-des-fous.com ; 5 rue du Bœuf, 5ᵉ ; ☺tlj soir uniquement et dim midi ; Ⓜ Vieux-Lyon)

La Tour rose   CADRE RENAISSANCE €€-€€€

153 Plan E5

Le cadre, au cœur du Vieux-Lyon et face à la Tour Rose, est idéal. Et après plusieurs changements de propriétaire, on prend plaisir à savourer à nouveau des plats raffinés. Mais à ce prix, on s'attendrait à un service plus efficace. (☎04 78 92 69 10 ; www.latourrose.fr ; 22 rue du Bœuf, 5ᵉ ; ☺mar-sam ; Ⓜ Vieux-Lyon)

Cour des Loges   GASTRONOMIQUE €€€

154 Plan E5

Un restaurant gastronomique réputé, où la cuisine est aussi parfaite que le cadre est somptueux, avec un service impeccable. L'atrium de cet ancien hôtel

---

100 % lyonnais
Un peu plus haut sur la rive droite...

La Contretête (155 plan D4 ; ☎04 78 29 41 29 ; 55 quai Pierre-Scize, 5ᵉ ; menu déj 17 € ; ☺lun-ven et sam soir ; 🚌C 14 Pierre-Scize). Si le restaurant du chef étoilé Christian Têtedoie a déménagé sur les hauteurs de Fourvière (p. 106), sa version bistrot demeure, elle, sur les quais. Ambiance bouchon traditionnel avec, au menu, filet de bœuf fondant et généreuses quenelles de brochet. On apprécie la mini terrasse en été.

L'Ouest (hors plan A1 ; ☎04 37 64 64 64 ; 11 quai du Commerce, 9ᵉ ; plats 14-29,50 € ; ☺tlj ; Ⓜ gare de Vaise). On reste béat devant l'immense terrasse (couverte) donnant sur la Saône, au cœur du secteur Vaise-Saint-Rambert (voir p. 108). Si le temps ne se prête pas à un repas en extérieur, la salle est tout aussi accueillante, avec sa cuisine ouverte où l'on peut observer les cuisiniers s'affairer. Le service, comme la nourriture, sont excellents. C'est qu'on est là dans l'une des brasseries de Paul Bocuse ! Goûtez le risotto aux noix de Saint-Jacques, tout simplement exquis.

particulier du XIVᵉ siècle, transformé en salle de restaurant, mérite à lui seul le détour... Un café-brasserie attenant, très soigné et très agréable, est également ouvert tous les jours. (☎04 72 77 44 44 ; www.courdesloges.com ; 6 rue du Bœuf, 5ᵉ ; ☺mar-sam ; Ⓜ Vieux-Lyon)

Les Adrets　CUISINE TRADITIONNELLE €€€

156 🍴 Plan E5

En plein cœur du quartier le plus touristique de Lyon, voilà une table où la cuisine traditionnelle est délicieuse et l'addition plus que raisonnable ! Dommage que l'adresse soit aussi connue et qu'il soit tellement difficile d'y manger, faute de place ! Pensez donc à réserver. (☎04 78 38 24 30 ; 30 rue du Bœuf, 5ᵉ ; ☉lun-ven ; Ⓜ Vieux-Lyon)

Prendre un verre

Les Fleurs du malt　BIÈRES

157 🍺 Plan F5

Si Baudelaire ne jurait que par le vin et le haschich... les Fleurs du Malt, elles, sont plutôt un temple résolument dédié à la bière ! Déjà 180 bières bouteilles et une dizaine de sortes de pressions (et bientôt de nouvelles) : on vous met au défi de ne pas trouver votre bonheur ! (☎04 78 58 25 36 ; www.lesfleursdumalt. fr ; 15 quai Romain-Rolland ; ☉tlj 17h-1h ; Ⓜ Vieux-Lyon)

Café Møde　CAFÉ DANSANT

158 🍺 Plan E6

Bar scandinave : le concept est un peu obscur... jusqu'à ce qu'on y entre. Une fois à l'intérieur, le grand bar en bois, les fauteuils club et la mezzanine où l'on peut discuter tranquillement ont une sobriété mêlée de chaleur effectivement assez nordique.

Des soirées étudiantes y sont régulièrement organisées, mais les autres soirs, on trouve aussi quelques trentenaires égarés ! (☎04 78 37 96 06 ; 8 rue Monseigneur-Lavarenne, 5ᵉ ; ☉lun-jeu 17h-3h, ven-sam 17h-4h ; Ⓜ Vieux-Lyon)

Look Bar　HORS DU TEMPS

159 🍺 Plan F5

Ne vous fiez pas aux apparences : cet établissement n'est pas mal famé ! Les banquettes en cuir élimées, la lumière faiblarde et la mezzanine plongée dans l'obscurité font tout le charme de ce lieu hors du temps. Sur la platine qui craque, Gainsbourg tourne en boucle et le patron derrière le zinc, affable mais peu loquace, semble tout droit sorti des *Tontons flingueurs*. Essayez le cocktail "Nuage noir". (☎04 78 37 38 94 ; 2 rue du Palais-de-Justice, 5ᵉ ; ☉lun-dim 18h-tôt le matin ; Ⓜ Vieux-Lyon)

La Cave des voyageurs　BAR À VINS

160 🍺 Plan E4

Cette cave conviviale propose une carte des vins alléchante, à prix raisonnable, avec assiettes de charcuterie et fromages pour accompagner le tout. Si vous n'êtes pas œnologue dans l'âme, le patron, jovial et passionné, se fera un plaisir de vous conseiller sans vous assommer. Bourgogne, Beaujolais, Vallée du Rhône, Savoie... Ici, les vins régionaux sont à l'honneur. (☎04 78 28 92 28 ; 7 place Saint-Paul, 5ᵉ ; ☉mar-sam 17h-1h ; 🚌 C3 arrêt Gare Saint-Paul)

Sortir

Le Guignol de Lyon SPECTACLES

161 ⭐ Plan E4

Guignol n'est pas que pour les enfants ! Et c'est ici le parfait endroit pour vous en rendre compte. Résidente, la compagnie des Zonzons propose de revisiter les aventures de Guignol et présente même certains soirs les "Brèves de comptoir" ou l'actualité selon les Zonzons, spectacles pour adultes un brin décalés. (☎04 78 28 92 57 ; www.guignol-lyon.com ; 2 rue Louis-Carrand, 5ᵉ ; adulte 10 €/9 €, enfant 7,50 €/6,50 €, étudiant 6 € ; Ⓜ Vieux-Lyon)

Au pied dans l'plat SPECTACLES

162 ⭐ Plan E5

Fans de dîners-spectacles, cette salle est l'endroit idéal. Soirée animée, ponctuée de sketches et de tours de magie autour de spécialités lyonnaises. (☎04 78 27 13 26 ; www.aupieddansleplat.fr ; 18 rue Lainerie, 5ᵉ ; dîner-spectacle 51-112 € ; ⊘tlj 20h30-2h ; 🚌 C3 arrêt Gare Saint-Paul ou Ⓜ Vieux-Lyon)

Espace Gerson CAFÉ-THÉÂTRE

163 ⭐ Plan E4

De l'improvisation, des one-man-shows, des jeunes talents, et un maître-mot : l'humour sous toutes ses formes. Une institution lyonnaise qui a lancé beaucoup de jeunes artistes. (☎04 78 27 96 99 ; www.espacegerson.com ; 1 place Gerson, 5ᵉ ; ⊘; Ⓜ Vieux-Lyon ou Hôtel-de-Ville, 🚌 C14, C19 arrêt Pierre-Scize)

Shopping

Dans la rue Saint-Jean, l'axe piéton principal, vous trouverez des bouquinistes, des boutiques de vêtements ethniques, de l'artisanat... Cette rue fourmille toujours d'animations (spectacles de rue, musiciens...).

Perroudon PÂTISSERIE

164 🔒 Plan E6

Tout comme dans la boutique de la Presqu'île (p. 49), les pâtisseries servies ici sont absolument délicieuses. (☎04 78 37 30 75 ; 5 rue Adolphe-Max, 5ᵉ ; Ⓜ Vieux-Lyon)

Marché de la création MARCHÉ

Plan E5-E6

Depuis 1979, plus de 150 artistes, peintres, sculpteurs, créateurs de bijoux, mais aussi musiciens et poètes présentent leurs œuvres sur ce marché peu banal. Juste à côté, sur le quai de Bondy, se tient le marché de l'artisanat. (Quai Romain-Rolland, 5ᵉ ; ⊘dim 8h-13h ; Ⓜ Vieux-Lyon)

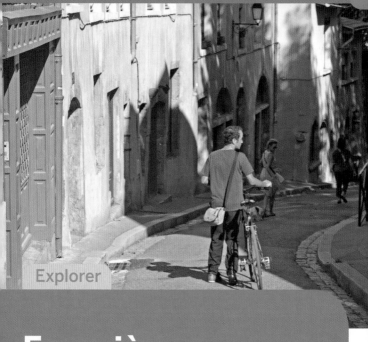

Explorer

Fourvière

La basilique Notre-Dame, l'amphithéâtre gallo-romain... la "colline qui prie" – elle doit son surnom à ses nombreux cloîtres et monastères – recèle tant de trésors qu'elle est presque entièrement inscrite au patrimoine mondial de l'Unesco. Il est très agréable de l'explorer en passant par le jardin du Rosaire et par le parc des Hauteurs, qui la traversent de part en part. Pour une ambiance de village, allez vous balader dans le quartier Saint-Just.

L'essentiel en un jour

☀ Rendez-vous sur l'**esplanade de Fourvière** (p. 104) et admirez d'un seul coup d'œil toute la cité des Gones et les toits de Saint-Jean. Allez ensuite découvrir les trésors de la somptueuse **Basilique Notre-Dame** (p. 98) et le **Musée d'art sacré** (p. 105). Si vous avez envie de connaître tous les secrets de la basilique, alors revenez l'après-midi pour une **visite insolite de Fourvière** (p. 99). Pour déjeuner, pique-niquez au **jardin du Rosaire** (p. 104) ou sur le **site archéologique de Fourvière** (p. 100).

☀ Admirez les beaux restes de **l'amphithéâtre**, de **l'odéon** et, pourquoi pas, le **Musée gallo-romain** (p. 100) ? Si vous cherchez l'ombre ou le calme, allez vous délasser dans le **parc des Hauteurs** (p. 104) ou dans le **cimetière de Loyasse** (p. 104). Explorez le quartier **Saint-Just** (p. 102), flânez dans le joli **jardin des Curiosités** (p. 102). Avec des enfants, préférez une visite à **Fourvière Aventures Sport** (p. 107), où ils pourront voltiger d'arbre en arbre.

☾ Rendez-vous à la **Cour Des Grands** (p. 107) pour déguster quelques tapas. Si l'envie vous vient de vous déhancher un peu, vous pourrez même y passer la nuit. Autres choix : dîner sur la charmante **place Eugène Wernet** (p. 103) à Saint-Just ou bien regagner le Vieux Lyon (p. 78) et ses bonnes tables, toujours très animé.

👁 Les incontournables

Basilique de Fourvière (p. 98)

Site archéologique de Fourvière et musée gallo-romain (p. 100)

◌ 100% lyonnais

Balade dans Saint-Just (p. 102)

♥ Le meilleur du quartier

Points de vue

Tour de l'Observatoire (p. 104)

Esplanade de Fourvière (p. 104)

Histoire gallo-romaine

Site archéologique de Fourvière (p. 100)

Musée gallo-romain (p. 100)

Au calme et au vert

Jardin du Rosaire (p. 104)

Parc des Hauteurs (p. 104)

Jardin des Curiosités (p. 102)

Cimetière de Loyasse (p. 104)

Comment y aller

Funiculaire Depuis le métro Vieux-Lyon, la ligne F2 débouche sur l'esplanade de Fourvière, la ligne F1 dans le quartier Saint-Just, avec un arrêt au théâtre gallo-romain (station Minimes). Le ticket Funiculaire permet un aller-retour sur une des lignes, dans la journée, pour 2,60 €. Les tickets courants (valables 1h) fonctionnent également.

Les incontournables
Basilique
Notre-Dame de Fourvière

La basilique de Fourvière, accrochée à la colline, est visible depuis pratiquement toute la ville. Impressionnante, avec ses 86 mètres de long et ses 35 mètres de large, elle fut construite entre 1872 et 1896, à la suite d'un serment fait à la Vierge : des Lyonnaises promirent d'élever une église majestueuse si sainte Marie repoussait l'invasion prussienne. Les fonds dépensés pour la construction soulevèrent une controverse importante, de même que son apparence : encore aujourd'hui, pour beaucoup de Lyonnais, elle ressemble à un éléphant à l'envers. À vous de juger !

👁 Plan D5

www.fourviere.org

📞 04 78 25 86 19

Esplanade de Fourvière, 5ᵉ

Funiculaire Fourvière depuis Ⓜ Vieux-Lyon

La basilique, vue depuis le parc des Hauteurs

À ne pas manquer

L'extérieur de la basilique

Construit sur les plans de Pierre Bossan, l'édifice est de style néobyzantin. Il fut érigé à l'emplacement d'une précédente chapelle, construite en 1643 pour éloigner la peste de la ville. Deux tours octogonales encadrent le porche à colonnes sculptées : celle de droite incarne la Justice, celle de gauche, la Force. Au-dessus des portes en bronze, on remarque une galerie d'anges-cariatides, surmontée d'un fronton triangulaire orné de sculptures de Marie et de l'Enfant Jésus. Le fronton est entouré de sculptures qui évoquent à droite le vœu de 1643 et à gauche celui de 1870. L'abside, entourée de deux tours comme le porche, se dresse face à la ville.

L'intérieur

Il peut paraître un peu chargé : le faste des dorures, des couleurs et des sculptures est frappant. Les vitraux méritent qu'on s'y attarde, de même que les mosaïques des murs latéraux, élaborées dans la première moitié du XXe siècle. Ils relatent des épisodes historiques et religieux. L'église est composée de trois nefs et de trois travées, soutenues par d'imposantes colonnes monolithiques. L'autel du chœur est orné de mosaïques vénitiennes.

La crypte

Accessible depuis l'intérieur ou l'extérieur (en contournant l'église sur la droite du parvis, par la porte des Lions), elle est dédiée à saint Joseph. Elle contraste grandement avec le reste de la basilique par sa sobriété et l'absence de lumière. On peut aussi visiter l'ancienne chapelle, avec son autel rococo, depuis l'intérieur de l'église.

☑ À savoir

▶ **Visites commentées** (🕐avr-nov lun-sam 9h-12h30 et 14h-18h, dim 14h-16h45 ; participation libre)

▶ Les **visites insolites de la basilique de Fourvière** (📞04 78 25 86 19 ; tarif plein/réduit 6/3 € ; 🕐avr, mai, oct mer et dim 14h30 et 16h, nov mer et dim 14h30 et 15h30, juin-sept tlj 14h30 et 16h sauf le 15 août et le 8 sept) durent 1 heure 30 et permettent de découvrir des recoins secrets de la basilique et d'accéder aux toits. On découvre ainsi la grande tribune, l'atelier des architectes, la galerie des anges cariatides, la galerie des modèles, la charpente métallique, le carillon et la Tour de l'Observatoire (voir p. 104).

....

✘ Une petite faim ?

Le chef étoilé **Christian Têtedoie** (p. 106) propose une cuisine fine avec vue. Les budgets plus modestes préféreront peut-être marcher un peu et opter pour **Campagne** (p. 106) et son petit air de guinguette.

Les incontournables
Site archéologique de Fourvière et musée gallo-romain

Ce site imposant, l'un des plus riches du patrimoine romain français, a été mis au jour en 1933. Initialement, les fouilles devaient permettre de localiser l'amphithéâtre où les premiers chrétiens, dont sainte Blandine, furent jetés aux lions – il fut en fait localisé en bas des pentes de la Croix-Rousse. C'est finalement un théâtre, un odéon et quelques autres édifices de moindre importance qui furent découverts. Empreint d'une grande sérénité, c'est un lieu de promenade agréable, à l'écart de l'agitation de la ville.

Plan C6

04 72 38 49 30

www.musees-gallo-romains.com

17 rue Cléberg, 5ᵉ

Funiculaire Minimes depuis **M** Vieux-Lyon

Face à l'Histoire, dans l'amphithéâtre de Fourvière

À ne pas manquer

Le grand théâtre et l'odéon

Construit peu de temps après la fondation de
Lugdunum en 43 av. J.-C., le **grand théâtre**
(🕑 mi-avr à mi-sept 7h-21h, mi-sept à mi-avr 7h-19h ;
entrée libre) date de 15 av. J.-C. D'une capacité
de 11 000 spectateurs, il s'élève en demi-cercle
sur le flanc de la colline – son diamètre est de
108 mètres en haut des gradins. À côté, l'**odéon**
(🕑 mi-avr à mi-sept 7h-21h, mi-sept à mi-avr 7h-19h ;
entrée libre), probablement construit aux environs
de l'an 100, pouvait contenir 3 000 personnes
et était destiné à des représentations plus
élitistes, poétiques ou musicales. Son pavement
géométrique des plus remarquables,
fait notamment de porphyre vert et rouge,
de granite ou de marbre jaune, violet et rouge,
est un témoin du prestige passé du lieu. Le site
fut probablement abandonné aux alentours
du IIIᵉ siècle. Beaucoup de pierres et la majorité
des colonnes furent progressivement utilisées dans
la construction de nouveaux bâtiments, comme
la basilique Saint-Martin d'Ainay.

Le musée gallo-romain

Pratiquement invisible de l'extérieur, ce **musée**
(🕑 mar-dim 10h-18h ; tarif plein/réduit avec ou sans expo
temporaire 4-7/2-4,50 €, 2 € suppl. pour visite guidée,
gratuit le jeudi et tlj -18 ans et avec la Lyon City Card) en
béton accroché à la colline possède une très riche
collection de pièces archéologiques et retrace
l'histoire de la ville, de la préhistoire au VIIᵉ siècle.
L'essentiel de l'exposition est bien sûr consacré
à la période romaine. La table claudienne, l'une
des plus belles pièces, fut découverte sur les pentes
de la Croix-Rousse au XVIᵉ siècle. Cette plaque de
bronze est gravée d'un discours que l'empereur
Claude prononça au Sénat en 48.

☑ À savoir

▸ Le musée gallo-
romain possède une
bibliothèque (accès
libre ; 🕑 mar-ven 10h-12h et
14h-17h45), spécialisée en
histoire et archéologie
gallo-romaines.
Ses points forts sont
l'épigraphie (science
des inscriptions),
la numismatique (étude
des monnaies) et
l'artisanat antique.

▸ En été, le festival des
Nuits de Fourvière
(p. 13) redonne vie au
théâtre antique.

✕ Une petite faim ?

Le site est
particulièrement
propice aux pique-
niques, mais pourquoi
pas un déjeuner sur la
place Eugène-Wernert,
dans le quartier voisin
de Saint-Just ? Vous
y trouverez un bon
restaurant italien, **Chez
Maurizio** (p. 106).

100% lyonnais
Balade dans Saint-Just

Saint-Just (prononcez "jus") se situe entre Fourvière et le quartier Saint-Irénée. Il s'étend en dénivelé de la place de Trion jusqu'à la place des Minimes. Dans ce quartier-village, les photographes trouveront de très beaux points de vue sur Lyon, et les amateurs de petits parcs authentiques et oubliés seront comblés.

❶ Jardin des Curiosités

Ce **jardin** (place de l'Abbé-Larue, 5e ; Ⓜ Minimes ou Saint-Just), également connu sous les noms de jardin de Montréal, du belvédère Abbé-Larue ou encore du jardin du Belvédère, est un don de la cité québécoise à la ville de Lyon. On y accède par l'extrémité de la place de l'Abbé-Larue, mais il faut vraiment connaître l'endroit ! Vous y découvrirez une très belle vue sur la ville.

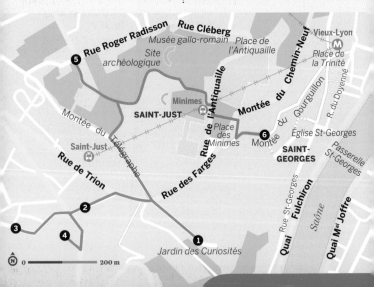

Rue Roger Radisson · Rue Cléberg · Vieux-Lyon Ⓜ · Place de l'Antiquaille · Place de la Trinité · Musée gallo-romain · Site archéologique · ❺ · Minimes · SAINT-JUST · Montée du Chemin-Neuf · R. du Doyenné · Gourguillon · Montée du Télégraphe · Rue de l'Antiquaille · Montée du · Place des Minimes · ❻ · Montée du · Église St-Georges · Saint-Just · SAINT-GEORGES · Passerelle St-Georges · Rue de Trion · ❷ · Rue des Farges · Rue St-Georges · Fulchiron · Quai · Saône · Quai M^al Joffre · ❸ · ❹ · ❶ · Jardin des Curiosités · Ⓝ 0 — 200 m

❷ **Basiliques de Saint-Just**

Il ne reste que quelques **vestiges des basiliques du Moyen Âge** (9 rue des Macchabées, 5ᵉ ; Ⓜ Saint-Just). Juste de quoi prendre conscience que le site fut un haut lieu de la spiritualité lyonnaise. À côté, la **fresque de Saint-Just** s'inspire du plan scénographique de la ville, tracé vers 1550 par une main anonyme. Elle imite un immense parchemin tenu bien en vue face au regard des passants.

❸ **Église Saint-Irénée**

Cette **église** (place Saint-Irénée, 5ᵉ ; Ⓜ Saint-Just) est l'une des plus anciennes de France, mais elle a été rebâtie au XIXᵉ siècle et achevée en 1830. Sa **crypte** date tout de même du IXᵉ siècle ! Le tintement de ses cloches est pour beaucoup dans l'atmosphère de village qui règne à Saint-Just.

❹ **Place Eugène-Wernert**

Cinq **mausolées** du Iᵉʳ siècle après J.-C. découverts à la faveur de travaux furent démontés et reconstitués place Eugène-Wernert. Cette place bien agréable compte par ailleurs deux restaurants de très bonne facture dotés de belles terrasses (p. 105, 106).

❺ **Jardin de la Visitation**

On accède à ce jardin (☎ 04 72 69 47 60 ; 23 rue Roger-Radisson, 5ᵉ) par la rue Radisson, mais aussi par la montée du télégraphe ou par le théâtre gallo-romain. Peu de Lyonnais connaissent l'endroit, composé d'allées longeant un **cloître** du XIXᵉ siècle et d'un joli **parc à la française**. Construit de 1854 à 1857, le couvent sera prochainement transformé en hôtel de charme. Les religieuses l'ont habité jusqu'en 1968. Le "chemin de la Visitation", un sentier boisé, relie en 2 km la rue Pauline-Jaricot à la partie haute du **site archéologique** (p. 100).

❻ **Montée du Gourguillon**

Pour clore votre balade, regagnez le Vieux Lyon en arpentant la jolie **montée du Gourguillon** (que vous prendrez dans le sens de la descente), toute pavée. C'est l'une des plus vieilles rues de Lyon, avec ses maisons médiévales aux murs colorés et aux fenêtres ornées d'animaux fantastiques et grotesques. Elle est longue de 400 mètres pour un dénivelé de 53 mètres, soit une pente d'un peu plus de 13% (très appréciée quand la neige est au rendez-vous…). De là, vous pourrez poursuivre votre balade dans le Vieux Lyon (p. 78).

Voir

Esplanade de Fourvière PANORAMA

165 ⊚ Plan D5

À gauche de la basilique en sortant du funiculaire, en arrivant sur l'esplanade, on découvre une vue panoramique époustouflante sur tout Lyon. Un panneau permet de repérer les principaux monuments et les lieux importants de la ville. Par temps clair, on peut même voir le mont Blanc à l'horizon. Par temps couvert, on se contentera de repérer le dôme de l'Opéra et le "Crayon" de la Part-Dieu. Sur l'esplanade, on peut prendre un verre, se restaurer et acheter quelques souvenirs. Petits budgets et/ ou allergiques aux tarifs prohibitifs s'abstenir... (esplanade de Fourvière, 5e ; funiculaire Fourvière depuis Ⓜ Vieux-Lyon)

Jardins du Rosaire AU VERT

166 ⊚ Plan D5

Situés sous la basilique, ces jardins remplissent parfaitement la fonction initiale que leur avait attribuée Pierre Bossan : isoler le site de l'agitation de la ville. Ils permettent de relier la basilique au Vieux Lyon à travers un décor de roses et d'hortensias. À gauche lorsque l'on est face au porche de l'église, vous ne pourrez pas manquer la Tour métallique, achevée en 1894. Haute de 86 mètres, c'est une reproduction du 3e étage de la Tour Eiffel qui sert, comme sa cousine, de relais de télévision. (colline de Fourvière, 5e ; ⊙entrée libre ; funiculaire Fourvière depuis Ⓜ Vieux-Lyon)

Parc des Hauteurs AU VERT

167 ⊚ Plan C5

L'un des grands projets de parcs urbains de la ville ambitionnait d'aménager des promenades (à pied uniquement, le dénivelé n'encourage pas à prendre son vélo) à travers les espaces verts de la colline, et c'est plutôt réussi ! (colline de Fourvière, 5e ; ⊙tlj 9h-tombée de la nuit ; entrée libre ; funiculaire Fourvière depuis Ⓜ Vieux-Lyon)

Cimetière de Loyasse STARS LOCALES

168 ⊚ Plan B5

Les premières tombes de ce Père-Lachaise local (mais sans équivalent de Jim Morrison) datent du début du XIXe siècle. Une rapide visite permet de voir les tombes de Lyonnais célèbres : Édouard Herriot, maire de Lyon pendant près d'un demi-siècle, l'architecte Tony Garnier ou la famille Guimet. Deux plaquettes explicatives sont distribuées gratuitement : *La Mémoire des Lyonnais* recense les personnalités connues et *Des pierres qui parlent* fait le tour des lieux et monuments connus. (☎04 78 25 28 51 ; 43 rue du Cardinal-Gerlier, 5e ; ⊙nov-avr tlj 8h-17h30, mai-nov tlj 8h-17h ; funiculaire Saint-Just depuis Ⓜ Vieux-Lyon, 🚌 90 Cimetière-Loyasse)

Tour de l'Observatoire PANORAMA

Voir **Basilique de Fourvière** ◉ Plan D5

La visite de ce lieu se fait uniquement dans le cadre des Visites insolites de

Comprendre
Le premier endroit habité de Lyon

Fourvière porte les témoignages les plus anciens du peuplement de la ville, avant l'arrivée des Romains. Ces derniers implantèrent leurs légions sur la colline en 48 av. J.-C. et y fondèrent Lugdunum cinq ans plus tard. Ils y élevèrent le théâtre et l'odéon (voir p. 101), mais aussi un temple et des thermes. La construction de quatre aqueducs permit d'approvisionner le site en eau. Au IVe siècle, Fourvière fut le théâtre d'invasions germaniques. Les barbares détruisirent les aqueducs, obligeant la population à se déplacer vers le pied de la colline. Fourvière devint par la suite progressivement un pôle religieux. Son surnom de "colline qui prie" lui fut donné à partir du XVIe siècle, mais on raconte que, dès 150, saint Pothin y aurait installé une icône de la Vierge. La première chapelle fut édifiée en 1168 et draina avec elle nombre de congrégations religieuses. Elle fut détruite par les protestants en 1562, reconstruite et finalement remplacée au XIXe siècle par l'actuelle basilique.

la basilique de Fourvière (voir p. 99). (☎ 04 78 25 86 19)

Musée d'Art sacré de Fourvière   ART LITURGIQUE

169 ◉ Plan D6

Ce petit musée plaira vraiment aux amateurs du genre. Situé dans un ancien bâtiment jésuite à droite de la basilique, il présente des expositions temporaires axées principalement sur l'art liturgique sous toutes ses formes, avec des pièces venues de France et d'ailleurs, et d'époques très variées : ex-voto, vêtements, orfèvrerie... Elles sont issues des collections propres au musée ou de collections extérieures. (☎ 04 78 25 86 19 ; 8 place de Fourvière, 5e ; www.fourviere.org ; ◷ mi-mars-janv tlj 10h-12h30 et 14h-17h30 ; entrée 4-7 € selon les expos, tarif réduit 2,5/4 €, gratuit

moins de 12 ans et avec la Lyon City Card ; funiculaire Fourvière depuis Ⓜ Vieux-Lyon)

Se restaurer

Restaurant de Fourvière   VUE €€

170 ✖ Plan D5

Accroché à la colline au même niveau que la basilique, ce restaurant de cuisine traditionnelle ne présente guère d'intérêt, si ce n'est la vue imprenable qu'il offre sur la ville. Pensez à réserver. (☎ 04 78 25 21 15 ; 9 place de Fourvière, 5e ; ◷ tlj ; Ⓜ Fourvière)

La Petite Auberge   CUISINE DU MARCHÉ €€

171 ✖ Plan C7

Sur la place Eugène-Wernet, la grande terrasse au calme, en retrait de la

Promenade dans les jardins du Rosaire (p. 104)

circulation, fait de cette adresse un endroit délicieux l'été. Au programme : ravioles, salades composées ou tartares de bœuf, le tout servi dans des proportions généreuses et avec le sourire. À l'intérieur, la décoration plutôt kitch et boisée colle bien avec la carte d'hiver, qui change radicalement (spécialités montagnardes). (☎ 04 78 25 29 33 ; 2 place Eugène-Wernert, 5ᵉ ; ☺ lun-sam ; Ⓜ Minimes)

Chez Maurizio   ITALIEN €€

172 Plan C7

Tout comme son voisin La Petite Auberge, Chez Maurizio bénéficie d'un cadre très agréable, sur une petite place un peu oubliée. Vous trouverez ici une cuisine italienne fine et pas chiche sur les portions, ainsi que des conseils avisés pour choisir votre vin (italien, tant qu'à faire !). (☎ 04 78 25 83 63 ; www.chezmaurizio.fr ; 1 place Eugène-Wernert, 5ᵉ ; ☺ mar-sam ; Ⓜ Minimes)

Campagne   CUISINE DU MARCHÉ €€

173 Plan B6

Le plus de cette adresse, c'est son atmosphère : les guirlandes lumineuses donnent à ce lieu, niché sur les hauteurs de Fourvière, des airs de guinguette à la campagne. On y sert une cuisine du marché simple et conviviale. Une bonne adresse pour un repas d'été en plein air, à l'ombre du platane. (☎ 04 78 36 73 85 ; www. restaurant-campagne-lyon.fr ; 20 rue du Cardinal-Gerlier, 5ᵉ ; ☺ lun-dim, fermé dim et lun soir en hiver ; Ⓜ Gorges-de-Loup)

Christian Têtedoie   GASTRONOMIQUE €€€

174 Plan D6

Le chef étoilé Christian Têtedoie a pris de la hauteur ! Il a quitté le quai Pierre-Scize pour gagner le site incroyable de l'ancien hôpital de l'Antiquaille. La qualité est là, et la vue sur Lyon et

ses deux fleuves est enchanteresse !
Dommage que les portions soient un
tout petit peu serrées... Peut mieux
faire ! (📞 04 78 29 40 10 ; www.tetedoie.
com ; montée du Chemin-Neuf, 5ᵉ ; 🕐 lun-sam ;
Ⓜ Minimes)

Villa Florentine GASTRONOMIQUE €€€

 175 ✖ Plan E5

Relais & Châteaux depuis 1995,
cet établissement étoilé est sans
conteste l'une des meilleures tables
de la ville, avec en prime une vue
imprenable sur Lyon. Le service est
impeccable et la terrasse en bord
de piscine particulièrement agréable
en été, même si les salons sont
aussi chaleureux et accueillants.
(📞 04 72 56 56 56 ; www.villaflorentine.com ;
25/27 montée Saint-Barthélemy, 5ᵉ ; 🕐 mar-
sam ; Ⓜ Vieux-Lyon ou Fourvière)

Sortir

Fourvière Aventures
Sport ACCROBRANCHE

 176 ⭐ Plan C5

Un parc aventure en plein centre
de Lyon, qui compte 5 hectares
de forêt, 5 parcours et 70 ateliers
ludiques et sportifs adaptés à tous
les âges et niveaux : divers parcours
d'accrobranche, à effectuer seul ou
en famille (accessible aux enfants à
partir de 4 ans). Quant à la fameuse
piste de la Sarra, en plein centre-ville,
elle fait rêver les VTTistes comme

les skieurs. (📞 04 78 36 31 75 ; 3 place du
158ᵉ-Régiment-d'Infanterie, piste de la Sarra,
5ᵉ ; www.fourviere-aventures.com ; 🕐 mi-mars
à mi-nov ; tarif adulte/12-17 ans/-12 ans
23/20/16 €, nocturnes 30 €, réductions en
réservant en ligne ; 🚌 45 Cimetière-Loyasse
ou à pied depuis la basilique de Fourvière en
passant par le parc des Hauteurs)

Théâtre Nouvelle
Génération THÉÂTRE INNOVANT

Hors plan A1

Centre dramatique national, le Théâtre
nouvelle génération, destiné au jeune
public, est un lieu bouillonnant de
création artistique. Certaines œuvres
sont accessibles aux enfants dès 3 ans.
Au menu des réjouissances : cirque,
opéra, théâtre de papier, théâtre
d'objet ou encore théâtre et peinture.
Un régal pour petits et grands !
(📞 04 72 53 15 15 ; www.tng-lyon.fr ; 23 rue de
Bourgogne, 9ᵉ ; Ⓜ Gare-de-Vaise)

La Cour Des Grands CLUB

 177 ⭐ Plan C8

Anciennement La Chapelle, ce bar à
tapas se double d'un club qui possède
une grande terrasse couverte et
chauffée en hiver et un joli parc de
5 000 m². Les lieux sont agréables,
mais les allergiques à la musique
"boum-boum" ne tiendront pas bien
longtemps. (📞 04 78 37 23 95 ; 60 montée
de Choulans, 5ᵉ ; www.lcdg-lyon.fr ; 🕐 club
jeu-sam à partir de 22h et jusqu'à l'aube, bar
à tapas le mer également ; 🚌 49, 73, 30 arrêt
Choulans-Tourelles)

100% lyonnais
De Vaise à Saint-Rambert-l'île Barbe : la campagne à la ville

Situé en bord de Saône, au pied de la Duchère, Vaise fut longtemps une commune indépendante avant d'être rattaché à Lyon en 1852. À l'écart du reste de la ville, ce quartier est en voie de boboïsation. Après la rue Antonin-Laborde, place au secteur Saint-Rambert et à l'île Barbe, qui furent intégrés bien plus tard à Lyon, en 1963. S'y trouve le dernier paysan de Lyon.

Comment y aller

M Métro Le quartier de Vaise est desservi par la ligne D du métro, arrêt Gare de Vaise ou Valmy.

🚌 Bus Les lignes 31, 40 et 43 vous mènent directement sur l'île Barbe.

🚲 Vélo Nombreuses stations Vélo'v.

Pour voir l'ensemble de ces quartiers, privilégiez le vélo, du moins pour gagner l'île Barbe.

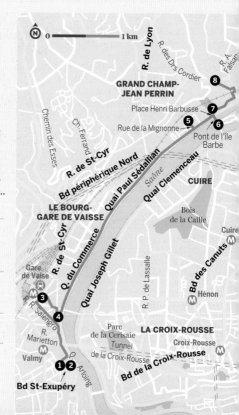

❶ Fort de Vaise

Construite entre 1834 et 1848, cette ancienne bâtisse militaire fait face au Fort Saint-Jean de la Croix-Rousse. C'est devenu un **lieu de rencontres et d'expositions artistiques** (☎04 78 47 10 82 ; www.fondation-renaud.com ; 25 boulevard Saint-Exupéry, 9e ; M Valmy). Les galeries souterraines se visitent lors des Journées européennes du patrimoine.

❷ Église Saint-Pierre de Vaise

Érigée au VIIe siècle, l'**église** (☎04 78 83 77 98 ; 3 boulevard Antoine-de-Saint-Exupéry ; M Valmy) fut reconstruite par l'architecte Tony Desjardins de 1843 à 1846, puis restaurée dans les années 1950. La façade néoromane comporte un zodiaque.

❸ Place de Paris et rue de la Claire

Pour déjeuner ou boire un verre, la **place de Paris**, avec son faux air villageois, et la **rue de la Claire** (M Gare de Vaise) fourmillent de bonnes adresses. Essayez par exemple le **Bouchon de Vaise** (☎04 82 75 21 36 ; 34 rue de la Claire ; ☉ lun-sam, fermé lun et mar midi).

❹ Immeuble Cateland

Les façades et toitures de ce curieux **immeuble** (2 rue de Saint-Cyr, 24 quai Jaÿ ; M Vaise) font l'objet d'une inscription au titre des monuments historiques.

❺ Rue de la Mignonne

Dans le secteur Saint-Rambert, allez admirer les maisons de campagne conçues par Tony Garnier en bord de Saône au début du XXe siècle.

❻ Île Barbe

Posée au milieu de la Saône, cet écrin de verdure renferme la jolie **chapelle Notre-Dame de Grâce**, datant du XIIe siècle, seule subsistance de ce qui fut l'une des premières abbayes médiévales de Lyon. L'île abrite aussi un restaurant gastronomique au cadre idyllique : **L'Auberge de l'Île** (☎04 78 83 99 49 ; ☉ mar-sam). On peut visiter la partie nord de l'île ; le reste est privé et plutôt huppé. On peut y jouer à la pétanque, pique-niquer... Le **festival Y Salsa** s'y tient tous les ans (☉ fin juin/début juillet), ainsi que quelques **concerts** (www.ilebarbe.fr).

❼ Boulangerie Jocteur

Située à Saint-Rambert, la **boulangerie Jocteur** (☎04 78 83 98 35 ; 5 place Henri-Barbusse ; ☉ mar-dim 7h-20h) est une institution lyonnaise célèbre pour sa tarte aux pralines.

❽ Ferme de Louis-Pierre Perraud

Le dernier paysan de Lyon vend ses produits 100% naturels (culture raisonnée) directement à la **ferme** (☎04 78 83 49 60 ; 32 rue des Docteurs-Cordier, 9e ; ☐ 2 arrêt Plateau de Saint-Rambert ou 31 arrêt Velten) le lundi et le jeudi de 17h à 20h.

Explorer

La rive gauche

La rive gauche, celle du Rhône, s'étend à l'est de Lyon. Souvent boudée par les touristes, elle rassemble pourtant un nombre impressionnant de musées de qualité et deux vastes parcs agréables. De Gerland à la Cité internationale en passant par la Guillotière, la Part-Dieu ou les Brotteaux, vous découvrirez une mosaïque de quartiers aux identités disparates.

L'essentiel en un jour

Commencez par le sud, sur les traces de **Tony Garnier** (p. 116). Admirez les 25 murs réalisés dans le **quartier des États-Unis** (p. 116), qu'il a conçu comme une cité idéale au début du XXᵉ siècle. Prenez ensuite le tramway et ralliez le **Centre d'Histoire de la Résistance et de la Déportation** (p. 129). Le midi, gagnez le nord pour une halte gastronomique à prix doux au **M Restaurant** (p. 119).

Flânez au **parc de la Tête d'Or** (p. 112), visitez la plaine africaine et les serres aux plantes étonnantes, faites la sieste, mangez une glace... Pour une balade chic, mettez le cap sur le **quartier des Brotteaux** (p. 119), son **ancienne gare** (p. 119), ses immeubles bourgeois cossus, et les boutiques du cours Vitton. Si vous préférez vous dégourdir les jambes, optez plutôt pour une découverte des **berges du Rhône à vélo** (p. 136). Ensuite, direction l'**Institut Lumière** (p. 114) pour une plongée dans l'histoire du 7ᵉ art.

Le soir venu, direction **la Guillotière** (p. 121), carrefour de toutes les cultures, idéal à l'heure de l'apéritif ou pour dîner. On y trouve une très grande variété de cuisines du monde ou lyonnaise à des prix vraiment honnêtes : essayez par exemple **L'Art et la Manière** (p. 123) ou **Le Bistrot des maquignons** (p. 123). L'été, les berges du Rhône sont également très appréciées pour leurs bars et clubs installés dans des péniches.

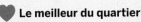

Les incontournables

Parc de la Tête-d'Or (p. 112)

Institut Lumière (p. 114)

100% lyonnais

Gerland et États-Unis : sur les traces de Tony Garnier (p. 116)

Le meilleur du quartier

Musées

Musée d'art contemporain (p. 118)

Centre d'Histoire de la Résistance et de la Déportation (p. 129)

Prendre un verre

Le Ninkasi Kao (p. 117)

Le Sirius (p. 124)

La Passagère (p. 125)

Plantes et fleurs

Mégaphorbiaie du parc de Gerland et Maison des fleurs (p. 117)

Jardin botanique et roseraies du parc de la Tête-d'Or (p. 113)

Comment y aller

M Métro Les lignes A, B et D et de nombreux trolleybus quadrillent cette partie de la ville.

Vélo Vous y trouverez de nombreuses stations Vélo'v.

Les incontournables
Parc de la Tête d'Or

Au nord-est de Lyon, bienvenue dans le plus grand parc urbain de France (environ 120 ha), un incontournable des balades en famille ! Inauguré en 1857, la même année que Central Park, à New York, le parc doit son nom à une très ancienne légende qui prétend qu'une tête du Christ en or aurait été enterrée ici... Au programme : balades dans les larges allées, pique-niques, parties de cerf-volant ou de badminton sur les vastes pelouses, et surtout, quantité d'animaux et de plantes rares à observer.

👁 Plan I1-K2

nord du 6ᵉ arrondissement

🕐 oct-mars 6h-21h, avr-sept 6h-23h

entrée libre

🚋 C1, C4, C5

Quelques tours de roue dans le parc

À ne pas manquer

Les entrées

Le parc compte sept entrées ; celle du boulevard des Belges est magnifique avec ses ferronneries finement ouvragées et ses dorures flamboyantes.

Le jardin botanique

Le **jardin botanique** (☎ 04 72 82 35 00 ; entrée libre ; ☺ tlj 9h-11h30 et 13h30-16h45) regroupe 15 000 plantes et arbustes (dont une centaine d'espèces d'églantines, 570 roses historiques, 200 variétés de pivoines, 1 800 espèces de plantes de montagnes, une cinquantaine de variétés de nymphéas...) et 6 000 espèces dans les **serres** (visites commentées gratuites du lundi au vendredi).

Les roseraies

Les quatre roseraies forment la partie la plus récente du parc. Vous y découvrirez une foultitude de variétés de roses (sauvages notamment), aux noms de baptême parfois insolites...

Le lac

Ce lac de 16 ha, alimenté par le Rhône, abrite deux îles arborées : l'île des Tamaris, accessible en barque, et l'île du Souvenir, sur laquelle est érigé un mémorial. Vous pourrez louer des pédalos et des barques à l'embarcadère.

Le zoo

Lions de l'Atlas, tigres du Bengale, panthères de Chine, ours bruns d'Europe, girafes, anacondas, crocodiles du Nil... En tout, 270 mammifères, 200 oiseaux et 80 reptiles vivent dans le **zoo** (entrée libre ; ☺ tlj 9h-17h, 9h-18h30 en été). On peut visiter une plaine africaine, qui met en avant les problèmes de la biodiversité et du développement durable. Comme pour de nombreux zoos urbains, on s'interroge parfois sur le peu d'espace dont disposent les animaux.

☑ À savoir

▸ Toutes les pelouses ne sont pas ouvertes au public. Surveillez les panneaux.

▸ Les toilettes ne sont pas nombreuses, et peu entretenues.

▸ Les joggers pourront compter sur une boucle de 3,8 km autour du parc

▸ Des stations Vélo'v sont situées à proximité des entrées du parc : porte des Enfants du Rhône, musée Guimet, boulevard des Belges, avenue Verguin, Stalingrad, musée d'Art Contemporain, Cité Internationale...

✕ Une petite faim ?

Vous trouverez buvettes et snacks sur place. Mais l'incontournable, c'est de pique-niquer sur place. Les Lyonnais s'y retrouvent aussi volontiers le soir, à l'heure de l'apéritif, autour d'une bonne bouteille et d'un saucisson. Quand il fait lourd, certains soirs d'été, le site est des plus agréables.

Les incontournables
Institut Lumière

Tout entière dédiée aux images fixes ou mobiles, la splendide maison de famille Art nouveau des frères Lumière accueille un musée et un cinéma. Les passionnés de photo vont se régaler, tout comme les amoureux de 7ᵉ art qui découvriront ici des techniques oubliées ou surprenantes, et comment d'une simple machine à coudre est né le cinéma tel que nous le connaissions encore avant l'avènement du numérique – on vous conseille pour cela les visites guidées.

👁 Hors plan L10

📞 04 78 78 18 95

www.institut-lumiere.org

25 rue du Premier-Film, 8ᵉ

tarif plein/réduit 6,50/5,50 €

🕑 mar-dim 11h-18h30

Ⓜ Monplaisir-Lumière

La maison Art déco de la famille Lumière

À ne pas manquer

Le Musée de l'Institut Lumière

On entre ici dans un monde magique d'art et de technique, avec 21 salles réparties sur 4 niveaux. L'exposition permanente retrace l'histoire des inventions de Louis et d'Auguste Lumière au fil d'un parcours thématique. On peut voir au rez-de-chaussée le premier cinématographe, qui projeta à Paris en 1895, devant 33 spectateurs, les dix premiers films de l'histoire du cinéma. Le musée propose aussi d'assister à des projections de films et de voir le photorama, appareil qui permet de projeter des photographies à 360°. Les salles sont conçues de manière interactive et même les plus jeunes partageront la fascination des grands pour ces inventions. Prévoyez au moins 2 heures de visite et, si possible, prenez la **visite guidée** (☉ tlj à 15h pendant les vacances et les WE fériés, agenda sur le site Internet ; 3 € suppl.).

Le Cinéma

L'Institut Lumière fait partie des hauts lieux culturels lyonnais où tous les amateurs de cinéma, et en particulier de cinéma de patrimoine, trouveront leur plaisir. Sous la houlette de son prestigieux président, le cinéaste lyonnais Bertrand Tavernier, l'Institut Lumière assure une programmation de qualité. Le résultat : films d'auteurs et soirées ou week-ends thématiques dédiés aux plus grands réalisateurs.

Le Château Lumière

Si vous ne vous intéressez pas au cinéma, venez au moins ici pour voir la maison de famille des frères Lumière. Construite en 1900 dans le style Art nouveau, toutes ses façades sont différentes et l'immense verrière possède de superbes vitraux. Le 1er étage abrite une maquette de la somptueuse résidence, réalisée par Dan Ohlmann (p. 88) au 1/20.

☑ À savoir

▸ Depuis 2009, le festival Lumière (p. 13) est entièrement consacré au 7e art.

▸ En juillet-août, l'Institut Lumière propose des projections en plein air tous les mardis, une fois la nuit tombée.

▸ Si vous êtes fou de cinéma, rendez-vous également au Musée Miniature et Cinéma dans le Vieux-Lyon (p. 88).

✕ Une petite faim ?

À deux pas de l'Institut, le nouveau restaurant **Trotékala** (hors plan L10 ; ☎ 04 72 78 69 69 ; www.trotekala.com ; 123 av. des Frères-Lumière, 8e ; ☉ lun-sam midi ; Ⓜ Monplaisir-Lumière) propose un concept original. Cocottes, tartes, salades, soupes : vous composez tout vous même ! Choisissez vos ingrédients (frais ou semi-préparés) et confiez-les au chef, qui ajoutera juste un peu de son savoir-faire. Amusant et plutôt réussi !

100% lyonnais
Gerland et États-Unis : sur les traces de Tony Garnier

Comment y aller

Quartier Gerland
(7ᵉ arrondissement)

Ⓜ B Gerland, Debourg

🚊 T1 (en 2014)

Quartier des États-Unis
(8ᵉ arrondissement)

🚊 T4 États-Unis,
Musée Tony-Garnier

Né à La Croix-Rousse en 1869, l'architecte et urbaniste Tony Garnier a profondément marqué Lyon. Quand Édouard Herriot devient maire en 1905, il lui confie de grands travaux dans l'est lyonnais, où s'opère une vaste extension urbaine. Cette balade en deux temps dans les 7ᵉ et 8ᵉ arrondissements vous promènera à travers des zones urbaines résidentielles et des HLM. Mais ce faisant, vous appréhenderez réellement son œuvre, marquée par un certain humanisme et par le rêve d'une cité industrielle idéale, et découvrirez des bâtiments admirables et de nombreux murs peints.

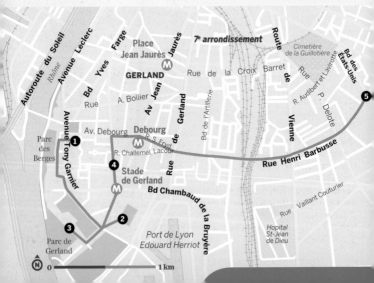

❶ Halle Tony-Garnier

Inaugurée dans les années 1920, cette **halle** (☎04 72 76 85 85 ; 20 place des Docteurs-Charles-et-Christophe-Mérieux, 7ᵉ ; www.halle-tony-garnier.fr ; visite sur RDV ; 🚇Debourg), aujourd'hui une salle de spectacles, hébergeait à l'origine les abattoirs et le marché aux bestiaux. Menacée de destruction par le maire Louis Pradel, elle fut classée de justesse aux monuments historiques en 1975. Ses dimensions (24 m au plus haut, 210 m de longueur), sa charpente métallique et ses immenses fenêtres en imposent.

❷ Stade de Gerland

Conçu en 1926 par Tony Garnier, ce **stade** (☎04 72 76 01 70 ; 353 avenue Jean-Jaurès, 7ᵉ ; 🚇Stade-de-Gerland), classé monument historique en 1967, peut accueillir 40 000 personnes. Fermé en dehors des événements, il se laisse admirer depuis la rue. D'inspiration romaine, avec ses doubles tribunes, il possède 4 gigantesques portes. À proximité, la boutique officielle de l'OL vend tout l'attirail du bon supporter.

❸ Parc de Gerland

Faites une halte au **parc de Gerland** (☎04 78 69 17 86 ; allée Pierre-de-Coubertin, 7ᵉ ; ⏱tlj 6h30-22h30 ; entrée libre ; 🚇Stade-de-Gerland), idéal pour un pique-nique. Si le mot "mégaphorbiaie" ne vous évoque rien, alors rendez-vous à la **Maison des fleurs** (⏱ avr-sept). Vous trouverez aussi un skatepark ; une très belle piste cyclable longeant le Rhône remonte jusqu'à la Cité Internationale puis au parc de Miribel-Jonage.

❹ Le Ninkasi KAO

Le célèbre **bar/salle de concerts** (☎04 72 76 89 00 ; www.ninkasi.fr ; 267 rue Marcel-Mérieux, 7ᵉ ; ⏱tlj ; 🚇Gerland) sert à manger de 11h à 23h. Exit les fast-foods insipides : à la carte, salades géantes et copieux burgers. Le soir, le **Kao** (⏱lun-mer 10h-1h, jeu 10h-2h, ven 10h-3h, sam 10h-4h, dim 16h-24h) est une institution pour les oiseaux de nuit qui viennent y manger, boire d'excellentes bières brassées sur place, danser et assister à des concerts.

❺ Musée urbain Tony-Garnier

Rejoignez le cœur du quartier des États-Unis par le bus C22 (depuis l'arrêt Debourg-Jean Jaurès à États-Unis-Musée Tony-Garnier). Le **musée** (☎04 78 75 16 75 ; 4 rue des Serpollières, 8ᵉ ; www.museeurbaintonygarnier.com ; gratuit ; ⏱mar-sam 14h-18h ; 🚇Monplaisir-Lumière ; 🚋T4) comporte une partie fermée mais la visite se fait essentiellement à ciel ouvert. À l'intérieur, découvrez le parcours de l'achitecte, son projet de Cité industrielle et sa carrière. Déambulez ensuite dans l'**ensemble HLM**, projet d'urbanisation construit entre 1919 et 1933. Des artistes de la Cité de la création ont créé 25 peintures murales colossales autour du thème de la cité idéale. Visitez l'**appartement-musée des années 1930** (⏱mar-ven à 16h30, sam 14h30 et 16h30, durée 20 min, 3 €, gratuit -11 ans), témoin de l'époque et du travail de l'architecte. Tous les objets ont été donnés par des habitants du quartier.

Une visite guidée de l'ensemble et de l'appartement témoin est possible le samedi à 14h30 (tarif plein/réduit 8/6 €).

Cité internationale

Voir

Lassé des quartiers historiques ?
Plongez dans la modernité lyonnaise !
Le quartier de la Cité internationale,
facilement repérable à ses nombreuses
façades de verre et de briques, est situé
entre le Rhône et le parc de la Tête-d'Or,
au nord de la ville, et accessible par
les bus C1, C4 et C5. Sa conception fut
confiée à l'architecte italien Renzo Piano
en 1984, sur l'ancien site de la Foire
de Lyon. L'ensemble a été inauguré en
2006 et accueille notamment le siège
mondial d'Interpol et, plus touristique,
le musée d'Art contemporain.

Musée d'Art contemporain   ART

Hors plan L1

Situé en face du parc de la Tête-d'Or,
le musée d'Art contemporain de
Lyon ne présente que des expositions
temporaires : Keith Haring, Andy
Warhol, Ben Vautier en 2010, Robert
Combas et George Brecht en 2012…
Sa façade à arcades, côté parc, date
des années 1930 et contraste avec
celle donnant sur l'intérieur de la
Cité internationale, tout en verre et
hypermoderne. Attention : entre chaque
exposition, le musée ferme. Vérifiez
qu'il est ouvert avant de vous déplacer !
(📞 04 72 69 17 17/18 ; Cité internationale,
81 quai Charles-de-Gaulle, 6e ; www.mac-lyon.
org ; 🕐 mer-dim 11h-18h ; 6/4 €, gratuit moins
de 18 ans et avec la Lyon City Card ; 🚌 C1 depuis
Ⓜ Part-Dieu, 🚌 C4 depuis Ⓜ Foch)

Si vous vous découvrez une passion
pour l'art contemporain, vous pouvez
aussi vous rendre à Villeurbanne
à l'**Institut d'art contemporain**.
(📞 04 78 03 47 00 ; 11 rue Dr-Dolard,
69100 Villeurbanne ; 🕐 mer- dim 13h-19h ;
4/2,50 € ; www.i-art-c.org ; 🚌 C3 arrêt Institut
d'Art Contemporain, Ⓜ A République)

Sortir

Casino Le Pharaon   MACHINES À SOUS

Hors plan L1

En mal d'activités en soirée ? Tentez
une incursion dans le monde du jeu.
Ce casino urbain, situé dans la Cité
internationale, propose 250 machines
à sous ainsi que les jeux de table
classiques et une salle de Hold'em poker
(🕐 21h-4h). Le décor se veut d'inspiration
égyptienne – plus tendance Las Vegas
que Le Caire tout de même… (📞 04 78 17
53 53 ; www.casino-lyon.com ; 70 quai Charles-
de-Gaulle, 6e ; 🕐 tlj 10h-4h ; 🚌 C4 depuis
Ⓜ Foch et 🚌 C1 depuis Ⓜ Part-Dieu)

Le Transbordeur   CONCERTS

Hors plan L1

Inaugurée en 1989, la salle mythique
de la région lyonnaise accueille artistes
confirmés nationaux, internationaux
ou scène locale montante lors de
concerts, de soirées électro… Un
lieu incontournable des événements
culturels de la ville. (📞 04 78 93 08 33 ;
www.transbordeur.fr ; 3 bd de Stalingrad,
Villeurbanne ; 🕐 selon la programmation ;
🚌 C1, C4, C5 arrêt Cité internationale)

Les Brotteaux

Voir

Ce quartier, le plus cher de la ville, s'étend autour de l'ancienne gare des Brotteaux, première gare de Lyon au début du XXᵉ siècle. À l'origine, il faisait partie de la commune de la Guillotière – son urbanisation commença au milieu du XVIIIᵉ siècle – et fut rattaché à la ville de Lyon au même moment qu'elle, en 1852. Avant tout residentiel et bourgeois, il recèle de belles maisons de famille, et des restaurants et des boîtes de nuit fréquentés par une clientèle plutôt aisée. Le cours Vitton concentre un grand nombre de boutiques de luxe.

Gare des Brotteaux   CHARME D'ANTAN

 178   Plan L4

L'ancienne gare des Brotteaux, inaugurée en 1908, n'est plus desservie depuis 1983. Elle accueille aujourd'hui une salle de vente aux enchères et des restaurants, d'où l'on peut admirer le beau travail de réhabilitation. (place Jules-Ferry, 6ᵉ ; Ⓜ Brotteaux)

Se restaurer

Le BIEH   NEW-YORKAIS €-€€

179 🍴 Plan L3

Des bagels et des burgers, pour un repas au pays de l'oncle Sam. Voir p. 38. (☎ 04 78 89 96 79 ; www.bieh.fr ; 77 cours Vitton, 6ᵉ ; ⏰ lun-ven 12h-15h et 19h-23h, sam-dim 12-23h ; Ⓜ Charpennes)

100 % lyonnais

Un peu plus à l'ouest...

Depuis qu'il a repris le célèbre restaurant La Mère Brazier (p. 74) à la Croix-Rousse, Mathieu Vianney a laissé le Ⓜ Restaurant (180 ⊗ plan H3 ; ☎ 04 78 89 55 19 ; 47 avenue Foch, 6ᵉ ; ⏰ lun-ven ; Ⓜ Foch) à son chef Julien Gautier mais, rassurez-vous, la relève est assurée ! L'établissement reste gastronomique et, sans conteste, l'une des meilleures adresses du 6ᵉ arrondissement à des prix tout à fait raisonnables.

Le Ch'ti Pot Ney   CUISINE DU NORD €€

181 🍴 Plan K3

Carbonnade flammande, waterzoï et le fameux poulet fermier au maroilles... Vous vous sentirez tout de suite "comme à l'baraque" ! Sélection d'une soixantaine de bières ; moules-frites le vendredi soir. (☎ 04 37 24 13 95 ; http://chtipotney.eresto.net ; 39, rue Ney, 6ᵉ ; ⏰ lun soir-dim midi ; Ⓜ Masséna ou Brotteaux)

Brasserie des Brotteaux   ART NOUVEAU €€-€€€

 182 🍴 Plan L4

Face à l'ancienne gare, une brasserie à la décoration Art nouveau de 1913. Un succès non démenti, grâce à sa bonne cuisine française (à la sauce lyonnaise) à base de produits du marché. (☎ 04 72 74 03 98 ; www.brasseriedesbrotteaux.com ; 1 place Jules-Ferry, 6ᵉ ; ⏰ lun-sam ; Ⓜ Brotteaux)

L'Est TOUTES LES SAVEURS DU MONDE €€-€€€

183 Plan L4

Quel meilleur endroit que l'ancien buffet de la gare des Brotteaux, avec son mur de mosaïques, pouvait choisir Bocuse pour y concocter sa "cuisine des voyages" ? Carte éclectique où le riz cantonais aux gambas côtoie les *fettuccini* au homard et la volaille de Bresse à la broche : de quoi renouveler fréquemment cette excellente expérience ! Carte des grands crus (de 35 jusqu'à 180 € la bouteille). (✆04 37 24 25 26 ; www.nordsudbrasseries.com ; gare des Brotteaux, 6ᵉ ; ☺ tlj ; ⓜBrotteaux)

Le Splendid LYONNAIS €€-€€€

184 Plan L4

Face à l'ancienne gare des Brotteaux, on sert dans cette grande bâtisse classée aux monuments historiques une cuisine inspirée de celle des fameuses "mères" lyonnaises. Un peu coûteux, mais savoureux ! Essayez par exemple les cuisses de grenouilles fraîches "sautées comme en Dombes" ou les escargots. (✆04 37 24 85 85 ; www.georgesblanc.com ; 3 place Jules-Ferry ; 6ᵉ ; ☺ tlj ; ⓜBrotteaux)

Sortir

Apériklub - First Tendency CLUB

185 Plan L4

Un bar et un club, repaires de la jeunesse dorée lyonnaise ! Belle terrasse en été. Allergiques au bling-bling s'abstenir ! (✆04 37 24 19 46 ; 13-14 place Jules-Ferry, 6ᵉ ; ☺mer-sam ; ⓜBrotteaux)

100 % lyonnais
Un peu plus loin...
Au nord-est de la ville et facilement accessible en métro, le **Théâtre national populaire de Villeurbanne** (hors plan L2 ; ✆04 78 03 30 00 ; www. tnp-villeurbanne.com ; 8 place Lazare-Goujon, Villeurbanne ; ⓜGratte-Ciel) fait partie des lieux dont il faut guetter la programmation, éclectique.

Shopping

Bernachon CHOCOLAT

186 Plan I3

Le grand maître lyonnais du chocolat depuis 1953 ! Ses chocolats sont d'une finesse inégalable, on en oublierait presque leur prix. **Salon de thé** (☺mar-sam 9h-18h15), également. (✆04 78 24 37 98 ; www.bernachon.com ; 42 cours Franklin-Roosevelt, 6ᵉ ; ☺mar-sam 8h30-19h, dim 8h30-17h, fermé dim en été ; ⓜFoch)

Richart CHOCOLAT

187 Plan I3

Succulentes créations, pour les papilles et pour les yeux, d'un autre maître du chocolat lyonnais. Voir p. 50. (✆04 78 89 00 21 ; www.chocolats-richart. com ; 35 cours Franklin-Roosevelt, 6ᵉ ; ⓜFoch)

Les Arts et Baobabs ÉTH(N)IQUE

188 Plan J4

Bijoux en corne de zébu, sacs et paniers colorés, objets en raphia, en fer forgé, miroirs, épices... On ne sait plus où donner de la tête dans cette boutique qui fait honneur à l'artisanat malgache. Vous pouvez dépenser sans mauvaise conscience : il s'agit d'un commerce éthique et solidaire, en lien avec une ethnie malgache, les Zafimaniry. (☎04 72 74 44 35 ; http://lesartsetbaobabs. com ; 76 rue Garibaldi, 6ᵉ ; ☻ lun 14h30-19h mar-ven 10h-19h30 sam 9h-19h ; Ⓜ Masséna)

La Guillotière

À la Guillotière, on ne visite ni musées ni monuments : on flâne, on s'imprègne d'une atmosphère unique, qui s'appuie sur une mosaïque fascinante de cultures. Ce quartier, le plus ancien de la rive gauche, était à l'origine une commune indépendante qui englobait Gerland et les Brotteaux. Elle devint lyonnaise en 1852. La Guillotière possédait dès le XIᵉ siècle au moins, le seul pont qui reliait cette rive du Rhône à l'autre. Seul point d'accès à la ville, c'était donc un quartier de voyageurs et d'immigration, ce qu'elle est encore aujourd'hui. Autour de la rue Pasteur est installée la communauté chinoise de Lyon. Dès que l'on se retrouve dans la rue de Marseille, c'est la communauté maghrébine qui devient majoritaire, mais pas autant que dans la rue Paul-Bert, de l'autre côté du cours Gambetta. Quant à la communauté africaine, sa présence devient plus tangible autour de la Grande-Rue-de-la-Guillotière. Promenez-vous, écoutez les gens parler et vivre, humez les odeurs d'épices, c'est la meilleure façon de savourer le quartier !

100 % lyonnais
Chiner rive gauche
Deux lieux où les amateurs d'antiquités devraient trouver leur bonheur :

Puces du canal (hors plan L2 ; ☎04 72 04 65 65 ; www.pucesducanal. com ; 1 rue du Canal, Villeurbanne ; ☻jeu et sam 8h-12h, dim 7h-14h ; 🚌 C7 Le Roulet ou Salengro le dim). Antiquités et brocante à la périphérie de Lyon. Pour dénicher un trésor ou tout simplement flâner entre les meubles d'époque, les peintures et les bibelots. Une centaine d'exposants le jeudi et le samedi, mais près de 400 le dimanche.

Cité des antiquaires (189 Ⓖ plan L2 ; ☎04 72 69 00 00 ; www. cite-antiquaires.fr ; 117 boulevard de Stalingrad, Villeurbanne ; ☻jeu, sam et dim 10h-19h, juin-août fermeture à 13h le dim ; Ⓜ Charpennes). Le paradis des amateurs d'antiquités, tout près de la Cité internationale.

Voir

Galerie Tator
NOUVELLE GARDE

 190 ⊙ Plan I9

Cette galerie associative, créée en 1994 par les deux designers Laurent Lucas et Éric Deboos, est dédiée aux arts plastiques, au design et à l'architecture. Avec cinq expositions annuelles, ce lieu s'attache à faire découvrir des artistes émergents dans un souci de transversalité, avec quelques projets hors-les-murs en Europe (Cityswitch). (☎04 78 58 83 12 ; www.rogertator.com ; 36 rue d'Anvers, 7ᵉ ; ☉lun-ven 14h-19h ; entrée libre ; ⓂSaxe-Gambetta)

Se restaurer

Le quartier de la Guillotière est le plus "ethnique" de la ville. On y trouve de nombreux restaurants asiatiques et arabes, mais également d'excellents établissements de cuisine française. Le tout à prix doux.

Le Tibouren   TRADITIONNEL €

191 Plan H8

Un restaurant de poche (28 couverts) où le chef, passionné, propose à chaque service une carte réduite mais de haut vol, selon son humeur et les produits du marché. Le résultat relève toujours du grand art. Espace réduit oblige, réservation obligatoire. (☎04 37 28 54 18 ; www.letibouren.fr ; 16 rue Bonald, 7ᵉ ; ☉lun-ven soir uniquement, sam midi et soir ; ⓂGuillotière)

Tandoor   INDIEN €

192 Plan H8

Ce fast-food indien propose, sur place ou à emporter, un *thali* traditionnel, végétarien ou non, et de succulents *naan*, *pakora* et *papad* pour accompagner le tout. Les portions sont copieuses et les saveurs de l'Inde intactes. Pas de CB. (☎04 37 37 10 16 ; 10 rue de Marseille, 7ᵉ ; ☉lun-sam ; ⓂGuillotière)

Vieille Canaille   LYONNAIS €€

193 Plan H9

Un petit restaurant de quartier sympathique où vous trouverez une cuisine d'inspiration lyonnaise d'assez bonne facture. Les plats sont assez copieux, le service enjoué, et les prix restent raisonnables. Le canard ne devrait pas vous décevoir. La belle sélection de rhums arrangés maison est idéale pour clore le repas. (☎04 72 71 47 12 ; 14 rue St-Jérôme, 7ᵉ ; ☉mar-sam ; Ⓜ Saxe-Gambetta ou 🚋 Saint-André)

Indo Café   ASIATIQUE €€

194 Plan H9

Un bar-restaurant au design épuré où l'on sert une bonne cuisine traditionnelle vietnamienne avec, certains soirs, un DJ aux platines côté bar. L'hiver, on aime se lover dans les fauteuils cosy du salon et, l'été, on profite du soleil, dans un transat sur la microterrasse. (☎04 78 58 33 30 ; 14 rue de la Thibaudière, 7ᵉ ; ☉lun-sam ; ⓂGuillotière)

Wasabi   JAPONAIS €€

195 Plan H9

Ce restaurant japonais tenu par des Coréens est l'une des meilleures adresses de la ville. Si la note est un peu haute, la présentation et la cuisine y sont tout simplement parfaites. Le chef en personne vient expliquer les plats et la manière de les déguster. Réservation indispensable. (☎04 37 28 08 77 ; http://wasabi.lyon.free.fr ; 76 rue d'Anvers, 7ᵉ ; ☉lun-sam soir, jeu-sam midi ; ⓂSaxe-Gambetta)

Le Bistrot des maquignons

BISTRONOMIE €€

196 Plan I9

Dans cet établissement aux allures de vieille grange modernisée, Isabelle et Thierry tiennent un adorable bistrot où l'on vient se délecter d'une excellente *pluma de pata negra* ou encore d'un gratiné d'os à moelle des plus savoureux. La terrasse à l'arrière, ombragée et à l'abri de la circulation, est idéale aux beaux jours. Apéro pétanque tout l'été de 18h à 22h. (☎04 72 71 63 87 ; www.lebistrotdesmaquignons.com ; 113 Grande-Rue-de-la-Guillotière, 7ᵉ ; ☉ mar-sam ; Ⓜ Saxe-Gambetta ou Garibaldi)

De l'autre côté du pont

BIO €€

197 Plan I8

Côté cuisine, les produits de saison sont bio ou issus du commerce équitable. Idem pour la bière, le vin et les jus de fruits. Côté scène, le lieu s'engage en mettant à disposition des artistes et des associations, espace et murs pour spectacles, soirées et expos. Un bel endroit de rencontre convivial et sans manières. (☎04 78 95 14 93 ; www.delautrecotedupont.fr ; 25 cours Gambetta, 3ᵉ ; ☉lun-ven 8h-1h, sam 16h-1h ; Ⓜ Saxe-Gambetta ou Guillotière)

À la guill' on dîne

CUISINE DU MARCHÉ €€

198 Plan I8

Cette table toute simple a tout d'une grande ! Cécile au service et Antoine aux fourneaux proposent de suivre les saisons… Service discret, présentation impeccable, cuisine soignée et audacieuse sous l'œil attentif et placide de leur chienne Laïka. L'agneau de Pâques entouré de petits légumes frais est divin… Réservation conseillée. (☎04 78 69 39 16 ; www.alaguillondine.fr ; 59 Grande-Rue-de-la-Guillotière, 7ᵉ ; ☉mar-ven midi et soir, sam soir ; Ⓜ Saxe-Gambetta)

L'Art et la Manière

TERROIR MODERNISÉ €€

199 Plan I9

Frédéric et Fabrice ont l'art de mettre les petits plats dans les grands. Une cuisine du terroir moderne et servie avec la bonne humeur communicative de Frédéric dans un cadre tellement chaleureux qu'on a du mal à quitter les lieux ! Essayez par exemple les noix de Saint-Jacques à la plancha et endives caramélisées. (☎04 37 27 05 83 ; www.art-et-la-maniere.fr ; 102 Grande-Rue-de-la-Guillotière, 7ᵉ ; ☉lun midi et mar-ven ; Ⓜ Saxe-Gambetta)

La Cuisine de madame Châtelet

LYONNAIS €€

200 Plan I9

Ne vous fiez pas à son nom : loin de copier ceux de la capitale, ce resto cultive son authenticité lyonnaise : atmosphère business certes mais des plats comme au bon vieux temps des "mères". Viandes ou poissons, les plats ont conservé leur saveur d'antan et les prix sont plus qu'abordables. (☎04 78 72 16 42 ; www.mme-chatelet.com ; 27 avenue Jean-Jaurès, 3ᵉ ; ☉lun midi uniquement- mar-ven midi et soir ; Ⓜ Saxe-Gambetta)

Prendre un verre

Mondrian

TAPAS À L'OMBRE

201 📷 Plan H8

Face à la piscine du Rhône, ce café-restaurant est, en été, l'un des meilleurs spots du 7e arrondissement pour boire l'apéro à l'ombre des platanes. Restauration légère et tapas. (📞 04 37 65 09 71 ; www.lemondrian.com ; 1 quai Claude-Bernard, 7e ; 🕐 lun-sam 9h-1h ; Ⓜ ou 🚋 Guillotière)

Vercoquin

BAR À VINS

202 📷 Plan I9

À droite, la cave avec un coin épicerie fine ; à gauche, le bar à vins qui propose de boire de 18h30 à 1h, mais aussi des assiettes de tapas assez élaborées jusqu'à 22h. Voilà deux adresses pour une même philosophie : des vins naturels. Animations et dégustations régulières, plus d'infos sur Internet. (📞 04 78 69 43 87 ; www.vercoquin.com ; 33 rue de la Thibaudière, 7e ; 🕐 mer-ven soir ; Ⓜ Saxe-Gambetta)

Gonzo Bar

BIÈRES ALLEMANDES

203 📷 Plan H8

Bières allemandes, beau choix de cocktails et de vins, et bonne programmation musicale (mix de DJ tous les week-ends, électro et musiques indépendantes) : voilà ce qui fait le succès de ce nouveau bar situé à deux pas de la piscine du Rhône. Happy hours de 17h-20h, snacking (rillettes et hot dog maison). Animations

Cocktails et musique au Gonzo Bar

culturelles tous les 15 jours le mercredi soir. (📞 09 52 83 07 50 ; www.gonzobarlyon.com ; 3 rue Montesquieu, 7e ; 🕐 mar-sam 16h-1h ; Ⓜ ou 🚋 Guillotière)

Sortir

Le Sirius

CLUB

204 ⭐ Plan H6

Ce pub-café-concert cosmopolite et étudiant est l'endroit idéal pour boire un verre, écouter de la musique, danser et plus si affinités. Concerts pop-rock à l'étage et DJ en cale... pour clientèle hétéroclite et décontractée. L'été, la terrasse à quai ou celle à l'avant du bateau sont très agréables. (📞 04 78 71 78 71 ; www.lesirius.com ; 2 quai Augagneur, 3e ; 🕐 lun-sam 16h-3h, dim 14h-20h ; Ⓜ Guillotière ou Place-Guichard 🚋 Saxe-Préfecture)

La Marquise
CLUB

205 ⭐ Plan H7

Près du Sirius, une autre péniche sympa, à la programmation éclectique : salsa, hip-hop, électro, rock… Devenu une institution, le bateau organise régulièrement des concerts en cale. (☎04 72 61 92 92 ; www.marquise.net ; 20 quai Augagneur, 3e ; ☉mar-sam 18h-5h ; Ⓜ Guillotière ou Place-Guichard 🚊 Liberté)

La Passagère
CLUB

206 ⭐ Plan H6

Une clientèle noctambule se presse sur cette péniche mouchoir de poche. L'exiguïté du lieu facilite les contacts, et l'équipage, qui peut se targuer de concocter les meilleurs *mojitos* de Lyon, fait régner à bord une ambiance bon enfant. Sans oublier les succulents rhums arrangés ! Aux beaux jours, la terrasse sur le quai ne désemplit pas. Concerts les lundi, mardi et mercredi. (☎04 72 73 36 98 ; sous le pont Wilson, 3e ; ☉tlj 14h-3h (été 12h-3h) ; Ⓜ Guillotière ou Place-Guichard 🚊 Saxe-Préfecture)

Shopping

Bahadourian
ÉPICERIE FINE-TRAITEUR

207 🔒 Plan I7

On respire ici toutes les saveurs du monde grâce à des étals d'épices venues des quatre coins du globe. On trouve également des ustensiles pour s'essayer à la *world food*. Les prix pratiqués au rayon traiteur sont un peu élevés, mais les plats sont excellents. Autres boutiques aux halles de la Part-Dieu (p. 126) et dans le quartier de la Préfecture. (☎04 78 60 32 10 ; www.bahadourian.com ; 20 rue Villeroy, 3e ; ☉lun-sam 7h30-19h30 ; Ⓜ Guillotière)

De l'autre côté de la rue
ÉPICERIE

208 🔒 Plan H7

Cette épicerie bio et éthique a réussi à éviter les circuits traditionnels de la grande distribution. Résultat : les petits producteurs locaux sont ici largement représentés. Fromages, charcuteries, pains frais, fruits et légumes de saisons, jus de fruits, vins (excellent viognier), bières et même champagne bio… Une autre manière de consommer responsable. Des apéros-dégustations sont régulièrement proposés. (☎04 72 60 88 05 ; www.delautrecotedelarue.net ; 75 cours de la Liberté, 3e ; ☉lun 16h-21h, mar-ven 10h-14h et 16h-21h, sam 10h-21h ; Ⓜ Guillotière)

An.Berto
CRÉATEUR

209 🔒 Plan H7

Cette petite boutique peu éclairée se remarque à peine de l'extérieur, pourtant, on y trouve des créations originales : vêtements, bijoux, accessoires colorés à tous les prix. Cette costumière, qui a travaillé pendant quinze ans dans le cinéma pour Claude Chabrol ou François Ozon a gardé la passion des chiffons… C'est joli, unique et confectionné sur mesure si on le souhaite ! (☎06 42 71 32 61 ; 9 rue Aimé-Collomb, 3e ; ☉mar-sam 10h-12h et 14h30-19h ; Ⓜ Guillotière)

Ukronium 1828

JEUX

210 🔒 Plan I9

Les passionnés de jeux de plateaux,
de jeux de rôle et de figurines devront
absolument faire escale chez Ukronium.
Les vendeurs y sont de véritables
passionnés et la décoration très soignée
s'inspirant de l'univers de Jules Verne
vaut le coup d'oeil. À l'arrière, la boutique
se double d'un salon de jeux des plus
agréables qui ne désemplit pas, avec
nocturne tous les jeudis soir. Initiation
gratuite au modélisme pour les petits
(et les grands). (📞 04 37 70 15 95 ; www.
ukronium1828.fr ; 55, rue de la Thibaudière, 7ᵉ ;
🕐 mar-sam 10h-20h, jeu 10h-1h, dim 10-14h ;
Ⓜ Saxe-Gambetta ou Jean-Macé)

© CLAIRE ANGOT

Concentration chez Ukronium 1828

La Part-Dieu

Le quartier de la Part-Dieu n'est pas
touristique, mais c'est souvent la
première vision que l'on a de Lyon à la
sortie du train. Malheureusement, ce
n'est pas la meilleure... L'urbanisation
de la Part-Dieu, "propriété de Dieu",
commença réellement au milieu
du XIXᵉ siècle, quand Gerland et la
Guillotière furent annexés à Lyon.
Les zones insalubres et inondables
furent alors assainies. Une caserne y
fut construite en 1847 car le quartier
était considéré comme un lieu de
fomentation de révoltes anarchistes.
Devenue par la suite un centre
d'affaires, la Part-Dieu est aujourd'hui
principalement occupée par des
bureaux. Devant la gare s'élève le
"crayon", la Tour Part-Dieu du Crédit
lyonnais, le plus haut gratte-ciel de la
ville (142 mètres et 42 étages). Elle sera
dépassée dès la fin 2013 par la tour
Incity, qui culminera à 200 m (l'une
des plus hautes du pays). Juste devant
le "crayon" se trouve un immense
centre commercial qui héberge
260 boutiques sur 5 niveaux, prolongé
depuis peu par le cours Oxygène. Cette
nouvelle extension est surplombée
d'une vertigineuse tour inaugurée
en 2010 (28 étages principalement
de bureaux) de 115 mètres de haut,
coiffée d'une feuille en acier. Même
si le site peut sembler impressionnant,
il n'en demeure pas moins un centre
commercial... À ne pas manquer
en revanche : les halles, haut lieu de
gastronomie (voir p. 128).

Se restaurer

Soline
VÉGÉTARIEN €€

 211 Plan J7

Au coin des rues André-Philip et Paul-Bert, ce "restaurant découvertes" propose tous les midis de la semaine une cuisine maison de saison, variée, équilibrée, fraîche et… végétarienne. Si les plats empruntent des accents exotiques, ici, les produits sont issus de l'agriculture biologique et l'addition reste légère. Quand la cuisine fait rimer écologie, économie et bien-être ! (04 78 60 40 43 ; www.soline.net ; 89 rue Paul-Bert, 3ᵉ ; lun-ven 11h30-16h ; Guichard)

Vert Tige
AU VERT €€

 212 Plan K7

À deux pas de la Tour Oxygène et du quartier d'affaires, voilà une adresse qui ne manque pas d'air ni de vert ! La petite cour intérieure est fort agréable aux beaux jours et l'intérieur, plutôt coquet. Côté cuisine, c'est moderne et inventif – fondant de porc au chorizo, pluma de cochon fermier au piment d'Espelette… – pour une addition assez raisonnable. (04 78 60 04 95 ; http://restoterrasse.vpweb.fr ; 10 rue Danton, 3ᵉ ; lun-ven midi, ven soir ; Part-Dieu)

Prendre un verre

213 Plan K6

Ciel de Lyon
PANORAMA

Au 32ᵉ étage du célébrissime "crayon", le bar panoramique de l'hôtel Radisson propose une vue spectaculaire sur la ville. Avec un peu de chance, vous pourrez peut-être voir le mont Blanc. (04 78 63 55 00 ; www.radissonblu.fr ; 129 rue Servient, 3ᵉ ; tlj 11h-1h ; Part-Dieu)

Sortir

Auditorium - Orchestre national de Lyon
CONCERTS

214 Plan J6

La "coquille Saint-Jacques de béton" accueille les 102 musiciens de l'Orchestre national de Lyon

© BASILE VALLANT

Le Crayon, emblème de la Part-Dieu

depuis 1975. Concerts symphoniques d'œuvres classiques ou modernes, mais aussi de jazz et de musique du monde. À noter : l'auditorium possède un orgue de salle de 7 000 tuyaux tout à fait impressionnant. (☎04 78 95 95 95 ; www.auditoriumlyon.com ; 149 cours Garibaldi, 3e ; MPart-Dieu)

Théâtre Tête-d'or Jacqueline-Bœuf
THÉÂTRE

215 ⭐ Plan I5

Théâtre de divertissement avec de nombreuses créations mais aussi des troupes invitées, toujours sous le signe de l'humour. Des représentations jeune public sont également proposées. (☎04 78 62 96 73 ; www. theatretetedor.com ; 60 avenue du Maréchal-de-Saxe, 3e ; bus C3 C4 C18 C25 C27 C99 arrêt Saxe-Lafayette depuis MCordeliers)

Shopping

Halles de la Part-Dieu
MARCHÉ

216 🔒 Plan J5

Quelque 60 commerçants vendent ici tout ce qui se fait de meilleur en matière de fromages, volailles, poissons, fruits de mer, fruits et légumes et, bien sûr, charcuterie. Pour le saucisson lyonnais, un seul nom à retenir : Colette Sibilia. Autres incontournables : Bahadourian pour les saveurs exotiques (voir p. 125), Sève pour les douceurs, maison Lamartre mais aussi Giraudet pour les quenelles, Pétrossian côté caviar...

100 % lyonnais
Move your body !

Il en existe une dizaine d'autres à Lyon, mais la **piscine du Rhône** (217 ⊛ plan G8 ; ☎04 78 72 04 50 ; 8 quai Claude-Bernard, 7e ; adulte/réduit 3,30/2,50 € , prévoir 1 € pour le vestiaire ; ◷juin-sept lun 12h-20h, mar-dim 10h-20h ; MGuillotière) ne devrait pas manquer d'attirer votre attention. En extérieur, sur les berges du Rhône, on la repère de loin grâce à ses très hautes tours-projecteurs aux allures de navettes spatiales. Outre un cadre agréable, elle possède deux grands bassins, dont un olympique, ainsi qu'un espace pour les plus petits. Son seul défaut : victime de son succès, elle est bondée la plupart du temps.

Vous êtes plutôt roller, skate ou BMX ? Accessible toute l'année, le **Skate Park** (hors plan ; ☎04 78 69 17 86 ; www.skateparkdelyon. com ; 24 allée Pierre-de-Coubertin, 7e ; 2,50/4 € plus adhésion 12 € ; ◷mar-ven 16h30-22h, mer et sam 14h-22h, dim 14h-18h30 ; MStade-de-Gerland) du parc de Gerland offre une surface de 1 540 m^2 couverts et de 2 520 m^2 en extérieur. Cours de skate le mercredi.

sans oublier les écaillers pour les apéros huîtres/vin blanc à consommer directement au comptoir ! (102 cours Lafayette, 3e ; ◷mar-jeu 7h-12h30 et 15h-19h, ven-sam 7h-19h, dim 7h-14h ; MPlace-Guichard)

© BASILE VAILLANT

Un cadre très agréable pour une baignade : la piscine du Rhône (encadré ci-contre)

Ailleurs sur la rive gauche

Voir

Centre d'Histoire de la Résistance et de la Déportation

HISTOIRE

218 ⊙ Plan G10

Lyon fut un important centre de la Résistance lors de la Seconde Guerre mondiale, avec, à sa tête, Jean Moulin. Installé symboliquement dans les locaux de l'ancienne École de santé militaire, qui fut occupée par la Gestapo du printemps 1943 à mai 1944, cet excellent musée retrace l'histoire de la Résistance et de la déportation à travers des documents visuels et sonores vraiment exceptionnels. Il rend hommage aux Lyonnais et à tous les Français entrés dans la Résistance, et perpétue un devoir de mémoire et d'information auprès des plus jeunes en abordant les étapes de la déportation et de la mise en place de la solution finale par les nazis. Les témoignages écrits, sonores et visuels sont poignants. On peut aussi voir des extraits du procès de Klaus Barbie et consulter d'autres témoignages au centre de documentation, qui possède plus de 40 000 ouvrages. Le musée reçoit deux expos temporaires par an, et l'exposition permanente a été renouvelée en 2012. Elle est maintenant davantage centrée sur la résistance à Lyon et dans la région. Dès l'été 2013, une tablette tactile sera remise à l'entrée pour permettre aux visiteurs d'appréhender au mieux les lieux. (📞 04 78 72 23 11 ; www.chrd.lyon.fr ; 14 avenue Berthelot, 7ᵉ ; 🕐 mer-dim 10h-18h ; tarif plein/réduit exposition permanente 4/2 €, gratuit -26 ans, tarif plein/réduit exposition temporaire 5/3 €, gratuit -18 ans, tarif plein/réduit billet couplé 6/4 €, gratuit -18 ans et avec la Lyon City Card ; Ⓜ Jean-Macé, 🚊 T2 Centre Berthelot)

Musée africain de Lyon CIVILISATION

219 ◉ Plan K9

Lyon possède l'un des rares musées en France consacrés exclusivement à la culture et à l'art africains. La collection est répartie sur trois étages : vie quotidienne (avec notamment de nombreuses poteries), vie sociale (monnaies, instruments de musique, etc.) et vie religieuse (masques, statuettes, objets de culte). L'ensemble comporte quelques belles pièces et des informations intéressantes, mais manque un peu de densité, malheureusement. Quelques animations en direction des familles (lecture de contes). (📞 04 78 61 60 98 ; 150 cours Gambetta, 7ᵉ ; www.musee-africain-lyon.org ; 🕐 mar-dim 14h-18h ; 8/4/2 €, gratuit avec la Lyon City Card ; Ⓜ Garibaldi)

Sortir

Comœdia CINÉMA

220 ⭐ Plan G10

Le Comœdia continue de défendre une certaine idée du cinéma, parfois engagé, toujours passionné,

L'entrée du Centre d'Histoire de la Résistance et de la Déportation (p. 129)

© BASILE VAILLANT

Comprendre
Allez l'OL !

Depuis une dizaine d'années, l'Olympique lyonnais, le club de foot de la ville, occupe le devant de la scène footballistique française – il a remporté une coupe de la Ligue, deux coupes de France et sept titres de champion de France depuis 2001 – et s'affirme comme un puissant vecteur d'identité. Le rêve de tous les Lyonnais serait à présent d'afficher le nom de leur ville au Panthéon des clubs européens, mais la suprématie de ses joueurs a encore du mal à dépasser les frontières de l'Hexagone.

Dans la ville, quelques lieux symbolisent l'engouement des habitants pour les joueurs de l'OL. Le **stade de Gerland** (p. 117) bien sûr, mais aussi la **place des Terreaux** (p. 26), où les maires de la ville ont pris l'habitude de recevoir les joueurs après chaque titre majeur. Mais la grande nouveauté attendue par tous les supporters, c'est l'ouverture du Grand Stade à Décines, dans l'agglomération lyonnaise. Réclamé depuis plusieurs années, le fameux **Stade des Lumières** devrait être opérationnel pour le début de saison 2015-2016 et pourra accueillir 58 000 spectateurs.

en mettant à l'honneur films d'auteurs, en VO bien entendu, et documentaires. Une programmation jeune public intelligente et esthétique y est également proposée. Et pour prolonger l'instant, jus de fruits, bons crus et autres douceurs au café-bar à vins. (☎08 92 68 69 22 ; www.cinema-comoedia.com ; 13 avenue Berthelot, 7ᵉ ; Ⓜ Jean-Macé)

Maison de la danse   DANSE

Hors plan L13

Ce temple de la danse contemporaine accueille des troupes venues du monde entier. C'est aussi un lieu de création où naissent des œuvres d'une qualité rare. (☎informations 04 72 78 18 18, réservations 04 72 78 18 00 ; www.maisondeladanse.com ; 8 avenue Jean-Mermoz, 8ᵉ ; 🚋 T2 arrêt Bachut-Mairie du 8ᵉ)

♥ Lyon
selon ses envies

Les Vélo'v sont partout !
© BASILE VAILLANT

Les plus belles balades
Traboules, galeries et sculptures

🏃 Itinéraire

De la place Saint-Paul à la place Saint-Jean, découvrez les trésors du Vieux Lyon en traboulant. Au fil de votre balade, vous apercevrez de très belles galeries italiennes, des façades de maisons datant des XVe et XVIe siècles, de somptueux escaliers à vis, des sculptures... En poussant les portes, d'une cour à l'autre, vous pourrez admirer les splendeurs architecturales de la période Renaissance.

Départ Place Saint-Paul ; 🚌 C3 depuis la Part-Dieu, arrêt St-Paul

Arrivée Place Saint-Jean ; Ⓜ Vieux-Lyon

Distance 1,5 km ; 1 heure 30

✖ Une petite faim ?

Si vous avez envie d'une pause sucrée, goûtez donc les glaces de **Nardone** (p. 91), les meilleures et les plus anciennes glaces artisanales de Lyon, ou bien les pâtisseries de chez **Perroudon** (p. 95), exquises !

Dans les traboules du Vieux Lyon

❶ Place Saint-Paul

Démarrez **place Saint-Paul** (p. 87) où se dressent la gare et l'église du même nom. Au n°3 se trouve une traboule d'angle avec un escalier qui vous mènera directement au n°5 de la rue Juiverie. Vous pourrez admirer une façade du XVe siècle avec des fenêtres ornées de petites colonnes.

❷ Rue Juiverie

L'une des plus belles rues de Lyon. Soyez attentif aux fenêtres à meneaux ouvragés, aux portes sculptées, aux statues (particulièrement aux n°s 7, 20, 22 et 28). Poussez les portes et découvrez escaliers, galeries, tours, puits... La galerie qui relie les deux maisons du n°8 de la rue est l'un des joyaux architecturaux les plus importants de Lyon, réalisée par Philibert De l'Orme en 1536.

❸ Rue Lainerie

De la rue Juiverie, allez jeter un coup d'œil à la rue Lainerie, où se cache un étonnant escalier au n°10, puis rejoignez via la rue Gadagne la place du Petit-Collège.

4 Hôtel Gadagne

Dans la cour intérieure (accès libre) du splendide **hôtel particulier** (p. 82) de la famille Gadagne, on peut voir un très joli puits parsemé de fleurs avec au-dessus un lion tenant un blason dessiné par Philibert De l'Orme (encore lui).

5 Rue du Bœuf

Au n°16, allez voir la **Tour Rose** (p. 93). Puis, au n°27, traboulez à travers quatre immeubles par la fameuse "longue traboule" jusqu'à la rue Saint-Jean (n°54). Vous verrez 6 cours.

6 Rue Saint-Jean

Au n°27, traboulez jusqu'à la rue des Trois-Maries (arrivée au n°6). Vous verrez deux jolies cours et des galeries italiennes. Vous pouvez aussi partir du n°19 pour aboutir sur le n°2 de la rue des Trois-Maries.

7 Rue des Trois-Maries

Observez les façades datant des XVᵉ et XVIᵉ siècles, puis traboulez à nouveau au n° 1 ou au n° 5 de la rue. Vous déboucherez sur le quai Romain-Rolland.

8 Quai Romain-Rolland

Depuis le n°10 du quai Romain-Rolland, vous pouvez trabouler vers la sympathique place du Gouvernement et regagner la rue, puis la place, Saint-Jean. Si vous voulez faire durer le plaisir, enchaînez donc avec notre balade à Saint-Georges (p. 84).

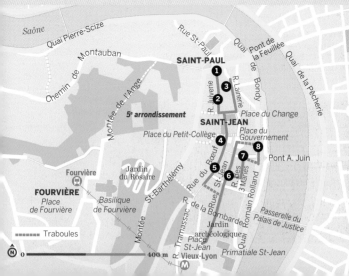

Les plus belles balades

Les berges du Rhône du sud vers le nord

🚶 Itinéraire

Le long du Rhône, entre le parc du Gerland au sud et le parc de la Tête-d'Or, au nord, 5 km de berges ont été réaménagées et repensées dans un esprit nature et détente. On y trouve des plans d'eau où se tremper les pieds, une prairie de 6 000 m², un parcours de santé... Cet espace est interdit aux véhicules motorisés. En famille, en solo ou en amoureux, s'y balader à vélo, en roller ou simplement à pied est un beau moment de détente.

Départ Parc de Gerland ; Ⓜ Gerland

Arrivée Parc de la Tête-d'Or ; 🚌 C1, C4 et C5

Distance 5 km ; 2 heures 30

🍴 Une petite faim ?

L'endroit est idéal pour un pique-nique, mais vous pouvez aussi faire une belle pause sous les platanes de la terrasse de **Mondrian** (p. 124). Vous trouverez des tapas et de bonnes salades composées.

© CLAIRE ANGOT

Jogging sur les bords du Rhône

❶ Parc de Gerland

Commencez par une découverte du **parc de Gerland** (p. 117) puis remontez les berges vers le nord. Les amateurs de vélo trouveront de nombreuses stations Vélo'v sur leur chemin.

❷ Ski nautique et wakeboard

Sur le bas du port du Rhône, **Wake Spirit** (📞 0952 59 69 59/06 03 34 69 17 ; www.lyonwake.free.fr ; en face du 27 avenue Leclerc ; 🕐 mai-oct fermé lun et mar) peut vous faire découvrir le wakeboard (3,50 €/ min), le wakesurf (4 €/ min) ou le ski nautique. Le **Yacht Club du Rhône** (📞 04 78 91 21 35 ; www. ycr-lyon.com ; Saint-Germain au Mont d'Or) peut vous initier à la voile ou au canoë de mai à octobre.

❸ Port de l'Université

Au niveau des facultés, vous verrez des bateaux de croisière, ainsi qu'une esplanade ombragée plantée de chênes et d'ormes. Les sportifs trouveront un parcours de santé, des terrains de volley, de boules. Les familles feront une pause aux jeux pour enfants.

❹ Centre nautique du Rhône

En cas de fortes chaleurs, allez piquer une tête à la **piscine du Rhône** (p. 128). À proximité, l'estacade de bois, bordée de clématites, d'iris et de plantes grimpantes, offre une belle vue sur le Rhône.

❺ Terrasses de la Guillotière

Les places Jutard et Raspail et les gradins construits le long de berges sont très appréciés des Lyonnais. Les gradins offrent une vue apaisante sur le fleuve et vous pourrez aussi regarder évoluer les skaters. Des plans d'eau permettent de se rafraîchir les pieds.

❻ Prairie

Plus au nord encore, du pont Wilson au pont Lafayette, s'étend une prairie de 6 000 m². Là sont amarrées les péniches-bar/ restaurant. Vous pouvez par exemple vous désaltérer à bord de la **Marquise** (p. 125) ou de la **Passagère** (p. 125). En poursuivant, vous trouverez des aires de jeux pour enfants.

❼ Bretillod

Entre les ponts De-Lattre-de-Tassigny et Churchill, le bretillod, mot typiquement lyonnais, est un milieu formé de petites îles avançant sur le Rhône propice, tôt le matin, à l'observation de la faune.

❽ Parc de la Tête-d'Or

Le plus grand **parc** (p. 112) urbain de France est un incontournable des balades en famille.

Envie de...
Gastronomie

Lyon, capitale gastronomique de la France ? Au vu du nombre de restaurants, on n'en doute pas. On en aurait presque le vertige. Quels que soient vos goûts en matière de cuisine, sachez qu'à Lyon on trouve de tout et pour tous les budgets. Il ne vous reste plus qu'à arrêter votre choix !

© CLAIRE ANGOT

Petit guide culinaire de survie pour non-initiés

Les menus lyonnais sont parfois parsemés de noms déconcertants. Voici quelques explications :

Saucisson chaud Saucisson bouilli, servi en entrée avec des pommes de terre cuites dans le même bouillon. Il est souvent pistaché – garni de pistaches – et peut même être cuit dans une brioche.

Gras-double Membrane d'estomac de bœuf (sorte de tripes). En salade ou rissolé au beurre avec des oignons, c'est une agréable surprise.

Tablier de sapeur Gras-double mariné dans du vin blanc, puis pané et frit.

Grattons Résidus grillés de graisse et de viande de porc souvent servis en apéritif dans les bouchons. C'est loin d'être ce que la gastronomie lyonnaise a de mieux à offrir...

Quenelles Nature, elles sont faites à base de semoule de blé dur ou de farine, d'œufs et de lait. On y ajoute le plus souvent de la chair de brochet haché.

Cervelle de Canut Fromage blanc battu avec de la crème fraîche, de l'huile d'olive, du vinaigre et du vin blanc. On y ajoute ail, échalotes, ciboulette, persil, sel et poivre.

Bugnes Ces bandes de pâte frites et saupoudrées de sucre prennent d'assaut les vitrines des boulangeries aux alentours de Mardi gras.

Oreillettes Bugnes.

Pogne Brioche originaire du Sud-Est.

Les bouchons

Il est inconcevable de séjourner à Lyon sans faire l'expérience d'un bouchon – le mot proviendrait des auberges où les chevaux étaient "bouchonnés" autrefois, ou des établissements servant du vin en dehors des repas, repérables au bouchon de leur enseigne. Petite liste, non exhaustive, de nos coups-de-cœur :

Le Musée (p. 39)

Le Garet (p. 40)

Chez Abel (p. 42)

Chez Paul (☏ 04 78 28 35 83 ; 1 rue du Major-Martin, 1er ; ⏰ lun-sam)

La Meunière (☏ 04 78 28 62 91 ; 11 rue Neuve, 1er ; ⏰ mar-sam)

L'Est (p. 120), l'une des brasseries de Paul Bocuse

Le Morgon (☎ 04 78 24 06 23 ; 2 rue Baraban , 6e ; ⏲ fermé sam midi et dim)

Traditionnel plus ou moins revisité

Le Nord (p. 41), **Le Sud** (p. 40), **L'Est** (p. 120) et **L'Ouest** (p. 93). Situé aux quatre points cardinaux, ne manquez pas les brasseries du chef étoilé Paul Bocuse, qui a fortement contribué à la redécouverte de la tradition culinaire lyonnaise et l'a modernisée. Pour des plats canailles typiquement lyonnais, choisissez Le Nord.

La Bonâme de Bruno (p. 72). Les traditions culinaires lyonnaises se réhaussent ici d'accents asiatiques.

La Mère Brazier (p. 74). Du 100 % lyonnais.

Bio

Toutes les couleurs (p. 73). Une cuisine végétarienne très inventive à déguster sur les pentes de la Croix-Rousse.

Soline (p. 127). Belle surprise dans le quartier de la Part-Dieu : des recettes bio issues des 4 coins du monde.

De l'autre côté du pont (p. 123). À la Guillotière, ce bar-restaurant-spectacles propose plusieurs plats végétariens et bio.

Sur le pouce

Le Crock'n'Roll (p. 36) À deux pas des Terreaux, des croque-monsieur pas chers et délicieux.

Tandoor (p. 122). Très bon fast-food indien à la Guillotière.

Trotékala (p. 115). Près de l'Institut Lumière, vous composez vous même cocottes, tartes et salades.

Envie de...
Sorties pour les enfants

Lyon est une assez grande ville pour que vos enfants ne s'y ennuient pas quels que soient leurs centres d'intérêt. Outre l'incontournable parc de la Tête-d'Or, le dédale des traboules du Vieux Lyon et les nouvelles berges du Rhône constituent des balades très ludiques avec des enfants.

© CLAIRE ANGOT

Guignol

Lyon est la ville d'un personnage connu de tous les enfants...Bien plus qu'une simple marionnette pour enfants ou que le personnage d'une chanson de Chantal Goya, Guignol fait partie intégrante du patrimoine culturel lyonnais. Authentique canut comme son créateur Laurent Mourguet, Guignol naît au tout début du XIXe siècle. Mourguet, sans emploi, devient arracheur de dents et a l'idée d'attirer ses clients avec des marionnettes. Très vite, les spectacles de Guignol deviennent des lieux privilégiés de la satire sociale. On y retrouve Guignol, bien sûr, mais aussi Gnafron, son ami grand "amateur" de vin, leurs femmes et le gendarme Flageolet.

Pour en savoir plus sur l'histoire des marionnettes lyonnaises, rendez-vous au **Petit Musée Fantastique de Guignol** (04 78 37 01 67 ; 6 rue Saint-Jean Lyon, 5e ; **M** Vieux-Lyon ; ⊗ lun-sam sf lun matin, 11 h-12 h30 14 h30-19 h, dim 11 h-13 h et 15 h-18 h) où vous attendent marionnettes, automates et boîtes à musique.

Pour assister à un spectacle, pensez à la **Compagnie des Zonzons,** résidente au Guignol de Lyon (p. 82) ou bien au **parc de la Tête-d'Or** (p. 112), qui abrite aussi un petit théâtre de Guignol.

☑ **À savoir**

Temps pluvieux ? Encore en manque d'inspiration ? Le site **www. bullesdegones. com** fourmille de bonnes idées pour les familles à Lyon.

Ukronium 1828 (p. 126)

Pour les tout-petits

Aller voir les petites et les grosses bêtes du **parc de la Tête-d'Or** (p. 112).

Jouer les Tarzan en passant d'un arbre à l'autre à **Fourvière Aventures Sport** (p. 107).

S'émerveiller devant les automates en mouvement du **musée des Automates** (p. 90).

Aller voir les chiots et les chatons du marché aux animaux le dimanche matin sur la **place Carnot** (p. 51).

Se renseigner sur les lectures de contes au **Musée africain** (p. 130).

Pour les 6-14 ans

Manger une glace chez **Nardonne** (p. 43, 91).

À 12h, 14h, 15h et 16h dans le Vieux Lyon, aller voir les automates de l'horloge astronomique de la **primatiale de Saint-Jean** (p. 80) s'animer.

Voir un opéra pour enfants au **Théâtre Nouvelle Génération** (p. 107).

S'émerveiller devant l'infiniment petit au **musée de la Miniature** (p. 88).

Découvrir le cinéma grâce aux séances Jeune Public de l'**Institut Lumière** (p. 114).

Pour les ados

Descendre en VTT ou à ski (avec prudence !) la piste de la Sarra à **Fourvière Aventures Sport** (p. 107).

Rêver devant les dizaines de variétés de chocolats chez **Bernachon** (p. 120).

Rivaliser de figures au **skatepark de Gerland** (p. 128).

Découvrir l'art contemporain au **Musée d'Art contemporain** (p. 118).

Pour les rôlistes en herbe, s'initier à la peinture avec figurines au magasin de jeux **Ukronium 1828** (p. 126).

Envie de...
Vie nocturne

© BASILE VAILLANT

Les bars les plus sympathiques sont regroupés principalement sur la Presqu'île, les pentes de la Croix-Rousse, les berges du Rhône, le Vieux Lyon et la Guillotière. La ville compte également de bons clubs, et dispose d'une offre culturelle – opéra, musique, danse... – de premier choix.

Bars

La Passagère (p. 125). Une toute petite péniche où l'exiguïté des lieux créent une convivialité appréciée. Belle terrasse en été.

Le Bistrot fait sa broc' (p. 66). Sur le plateau de la Croix-Rousse, un bar de quartier des plus agréables.

Le Broc Bar (p. 45). Un accueil chaleureux et une terrasse jaune et rouge très sympathique.

Le Palais de la Bière (p. 74). Le temple du malt !

La Buvette Saint-Antoine (📞 04 78 42 56 72 ; 2 quai des Célestins). Très agréable les jours de marché comme les soirs d'été.

Clubs

Le Sirius (p. 124). Ses soirées finissent toujours trop tôt.

Le Ninkasi KAO (p. 117). Micro-brasserie et salle de concert.

Le DV1 (p. 75). Une référence en matière de mix techno et electro.

Bec de Jazz (p. 75). Petit bar dansant, sur les pentes de la Croix-Rousse.

GrrrndZéro (www.grrrndzero.org ; 40 rue Pré-Gaudry, 7ᵉ). Concerts éclectiques.

Bars de nuit

Les oiseaux de nuit trouveront facilement quelques bars ouverts après 4/5h du matin :

Look Bar (p. 94).

Melting Pub (📞 04 72 40 98 52 ; 9 rue du Doyenné, 5ᵉ).

Success story lyonnaise

Ninkasi, micro-brasseur lyonnais, possède plusieurs établissements en ville et doit principalement son succès au trio bières/burgers/bon son. En 1997 était créé **le premier Ninkasi,** à Gerland (p. 117), tout droit inspiré des microbrasseries à l'américaine. Aujourd'hui l'établissement compte aussi un bar-restaurant et une scène de café-concert. Et d'autres adresses ont ouvert en ville. Tous les détails sur leur site Internet : www.ninkasi.fr

Envie de...
Scène gay et lesbienne

Lyon accepte plutôt bien l'homosexualité : la communauté LGBT y est active, et la vie nocturne rythmée. Dans les années 1970, les premiers établissements gays, lesbiens et gays friendly se sont établis rue Royale. Aujourd'hui, le "Marais lyonnais" s'étend autour de la place des Terreaux et en bas des pentes de la Croix-Rousse.

© CLAIRE ANGOT

Informations et événements

Lyon accueille régulièrement des événements gays ouverts à tous : les concerts du **Chœur À Voix et à Vapeur** (www.avoixetavapeur.org), le **Tournoi Tigaly** (Tournoi International Gay de Lyon ; www.tigaly.com), le tournoi de rugby **Ovalyon** ou encore le festival **Écrans Mixtes** (http://festival-em.org)… Le **Forum Gay et Lesbien** (☎ 04 78 39 97 72 ; www.fgllyon.org ; 17 rue Romarin ; ⏰ lun-ven 18h30-20h30) organise des événements et dispense conseils et infos.

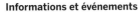

Bars

L Bar (p. 45). Pour les filles.

Station B (☎ 04 78 27 71 41 ; www.stationb.fr ; 21 place Gabriel-Rambaud, 1er). Pour les amateurs de *bears*.

La Ruche (☎ 04 78 37 42 26 ; 22 rue Gentil, 1er). Le plus vieux bar gay de Lyon.

Urban Café (☎ 09 52 94 43 01 ; 29 rue de l'Arbre-Sec, 1er). Un petit nouveau

It Bar (☎ 04 72 07 63 38 ; 20 bis montée Saint-Sébastien, 1er). Un autre récemment installé.

Clubs

L'United Café (☎ 04 78 29 93 18 ; www.united-cafe.com ; impasse de la Pêcherie, 1er). Une institution.

Le Crazy (p. 75). La boîte qui ne déçoit jamais.

Le Marais (p. 76). Pour les filles.

Le Be Kool (☎ 09 53 01 24 85 ; 1 rue de Thou, 1er). Pour la drague.

☑ À savoir

▶ Le gratuit ***Hétéroclite*** (www. heteroclite.org), distribué dans les lieux gays ou gays friendly lyonnais, paraît tous les premier mercredi du mois. Chaque année, la rédaction publie aussi *Out*, un guide des sorties en Rhône-Alpes qui fourmille d'idées malines.

▶ **Radio Canut** (102,2 FM ou www. radiocanut.org) propose chaque vendredi entre 17h et 18h une "émission transpédégouine et féministe" intitulée *On est pas des cadeaux*.

Envie de...
Shopping

Sujet à la fièvre acheteuse ? Plaisirs de bouche, antiquités, objets design, marchés divers et variés : vous trouverez de tout ici.

Shopper par quartier

À Lyon, chaque quartier a sa spécificité. Dans la Presqu'île, les rues de la République et du Président-Édouard-Herriot et leurs abords abritent nombre d'enseignes de marque internationale. Les pentes de la Croix-Rousse concentrent les œuvres de créateurs, notamment dans le **village** (p. 63). La Guillotière rassemble les magasins asiatiques, arabes et africains. Enfin, le plus grand **centre commercial** (p. 57) de Lyon est situé dans le quartier de la Part-Dieu.

Antiquités et brocante

Lyon compte près de 650 antiquaires, principalement réunis dans le **quartier Auguste-Comte** (www.quartieraugustecomte.com) et à la **Cité des Antiquaires** (p. 121). Les **Puces du canal** (p. 121) sont les deuxièmes de France et rassemblent tous les dimanches 400 exposants.

Marchés

Le **marché de la Croix-Rousse** (p. 67) et le **marché Saint-Antoine** (p. 50) sont parmi les plus importants de la ville. À noter également, le **marché fermier de la place Carnot** (p. 50), dont les stands sont tenus par des producteurs de la région.

© BASILE VAILLANT

Marchés aux puces, foires et brocantes

Marché Mode Vintage (www.marchemodevintage. com). Nouveau lieu – la **Halle Tony Garnier** (p. 117) – et désormais deux éditions par an.

Marché des Soies (www. intersoie.org). 4 jours en novembre, dans le **Palais du commerce** (20 place de la Bourse, 2ᵉ).

Foire aux Tupiniers (www. tupiniers.com). 2ᵉ week-end de septembre dans le Vieux Lyon.

Foire à la Brocante 3ᵉ week-end de juin dans le Vieux Lyon.

Bouquinistes, marché aux livres Le week-end de 9h à 18h, quai de la Pêcherie.

Marché de la création Tous les dimanches matin, quai Romain-Rolland.

Envie de...
Spectacle vivant

Depuis la naissance de Guignol et de Gnafron, il y a 200 ans, la scène culturelle lyonnaise a vécu beaucoup d'autres (heureux) événements. Dans la cité des Gones, les arts dits "vivants" le sont bel et bien, et tous ont leur scène ou leur événement d'envergure nationale.

COMPANHIA SOCIEDADE MASCULINA © MICHEL CAVALCA

Musique classique

Auditorium (p. 127). Héberge l'Orchestre national de Lyon.

Opéra national de Lyon (p. 30). Possède son propre orchestre et corps de ballet.

Danse

Maison de la danse (p. 131). Connaît un réel succès depuis sa création en 1980.

Biennale de la danse (p. 13). Organisée par le fondateur de la Maison de la danse.

Théâtre

Les Célestins (p. 30). Depuis longtemps, LA scène lyonnaise par excellence.

Théâtre national populaire (p. 120).
À Villeurbanne, dans la toute proche banlieue lyonnaise.

Concerts

Halle Tony-Garnier (p. 117)

Le Transbordeur (p. 118). Stars internationales et DJ locaux.

Centre culturel

Les Subsistances (p. 35). Un lieu culturel atypique, à la fois résidence d'artistes et salle de spectacles, consacré au théâtre, à la danse, à la musique et au cirque contemporain.

☑ À savoir

En plus de la programmation habituelle des salles et théâtre, Lyon accueille de grands rendez-vous annuels, des très électroniques Nuits sonores aux plus classiques Nuits de Fourvière. Plus de détails dans le chapitre *Agenda* de ce guide, p. 12.

Envie de...
Architecture

Si la ville est en plein modernisme avec l'aménagement de La Confluence, elle ne renie pas pour autant la splendeur Renaissance de son quartier historique.

© CLAIRE ANGOT

Renaissance...

Quartier emblématique de la ville, le Vieux Lyon est un ensemble Renaissance exceptionnel composé de plusieurs centaines d'édifices soigneusement restaurés. Construits entre le XVᵉ et le XVIIᵉ siècle, les hauts bâtiments à la façade un peu austère comptent un nombre incroyable de fenêtres sculptées. Ils sont généralement organisés autour d'une cour intérieure : n'hésitez pas à passer sous les porches pour découvrir les galeries sur plusieurs étages et les escaliers dans les tourelles. Face au manque de place, les architectes imaginèrent l'une des curiosités lyonnaises les plus célèbres : les mystérieuses traboules (voir p. 89 et l'itinéraire p. 134).

... et modernité

Béton armé, esthétique épurée et organisation fonctionnelle... les réalisations du Lyonnais Tony Garnier (p. 117) ont peut-être moins de charme que le Vieux Lyon mais sont aussi emblématiques de la ville. Plusieurs sont classées par l'Unesco. Loin de se reposer sur ses acquis, Lyon continue son grand réaménagement urbain, initié dans les années 1990 : Jean Nouvel a rénové l'Opéra (p. 30) en 1993, la place des Terreaux (p. 26) a été transformée par Christian Drevet et Daniel Buren, Renzo Piano a piloté le projet de la Cité internationale (p. 118). Et au sud de la Presqu'île, La Confluence (p. 52) finit sa mutation.

☑ À savoir

Pour une découverte plus approfondie des merveilles architecturales lyonnaises, l'**office du tourisme** (p. 159) organise des visites guidées thématiques. Infos et réservations sur le site Internet www.lyon-france.com

Envie de...
Murs peints

© BASILE VAILLANT

Encore une curiosité lyonnaise que ces peintures murales que l'on retrouve aux quatre coins de la ville. L'idée a germé au début des années 1980 et a pris forme notamment grâce aux artistes de la Cité de la création.

Fresque des Lyonnais (plan E4 ; angle rue de la Martinière et quai Saint-Vincent, 1er ; **M** Hôtel-de-Ville). Trente Lyonnais célèbres (par ordre chronologique de haut en bas) aux fenêtres d'un immeuble en trompe l'œil. On y voit, notamment, sainte Blandine, les frères Lumière, Antoine de Saint-Exupéry et Bernard Pivot.

Mur des canuts (plan E1 ; boulevard des Canuts, 4e ; **M** Hénon). Peint en 1987 en hommage aux ouvriers de la soierie, il fut rénové et recoloré dix ans plus tard (la petite fille sur les marches avait 6 ans en 1987 et a été repeinte à l'âge de 16 ans !). Cette représentation de la vie croix-roussienne (photo) fait aujourd'hui partie intégrante du quartier.

Mur du cinéma (plan H8 ; angle cours Gambetta et Grande-Rue-de-la-Guillotière, 7e ; **M** Guillotière). L'histoire du cinéma et des premiers tournages à Lyon.

Bibliothèque de la cité (plan F4 ; angle quai de la Pêcherie et rue de la Platière, 1er ; **M** Hôtel-de-Ville). 500 références aux écrivains de Lyon, de Louise Labé à Frédéric Dard.

Fresque de Gerland (hors plan F15 ; 18 rue Pierre-de-Coubertin, 7e ; **M** Gerland). Un hommage au quartier et des souvenirs de la Coupe du monde de football.

Musée urbain Tony Garnier (p. 117).

Envie de...
Parler comme un Lyonnais

Pas d'inquiétude : comprendre les Lyonnais est loin d'être une mission impossible ! Même si surviennent parfois, au fil d'une conversation, quelques intonations spécifiques et un certain nombre d'expressions locales.

Pronociation...

On entend principalement l'accent lyonnais dans la prononciation du son [œ], utilisé dans les mots "accueil", "jeune" ou "feuille", par exemple. À Lyon, ce son est prononcé [ø], comme dans "euh...", "feu" ou "jeu". Les Lyonnais ont aussi tendance à "avaler" certains [e] : on parle ainsi des "qu'nelles" et non des "quenelles".

... et expressions

Un certain nombre de termes peuvent paraître obscurs aux non-initiés. Petite sélection :

Canut (masc.) : ouvrier de la soie. Quant à savoir pourquoi le féminin de canut est "canuse" et non "canute"...

Ficelle : surnom du funiculaire.

Gone (masc.) : gamin. Par extension, Lyonnais. L'un des surnoms de Lyon est d'ailleurs la "cité des Gones".

Fenotte (fém.) : femme.

Grolasser : traîner.

Piaver : boire.

Y : Le pronom adverbial "y" s'emploie normalement pour remplacer un complément de lieu (ex : je vais à Lyon – j'y vais). Jusque-là, tout va bien. Mais à Lyon, on l'utilise souvent pour remplacer toutes sortes de compléments, ce qui donne des phrases comme : "Tu peux y porter ?" (tu peux le porter ?) ou encore "Je vais y faire" (je vais le faire).

L'heure : Les Lyonnais vous demanderont "Quelle heure c'est ?" et pourront vous répondre des choses obscures telles que "C'est et 20" (mieux vaut donc avoir au préalable une idée de l'heure qu'il peut être).

© BASILE VAILLANT

Lyon

Hier et aujourd'hui

L'époque romaine

Bien que l'occupation de Vaise (voir p. 108) remonte à une époque antérieure
à l'arrivée des Romains, l'histoire de la ville commence officiellement avec
l'installation de légions romaines sur la colline de Fourvière en 48 av. J.-C.
La cité de Lugdunum (colline de Lug, dieu gaulois du Soleil, ou colline des
corbeaux, le doute subsiste quant à l'étymologie) fut fondée par Munatius
Plantus en 43 avant notre ère. Au pied de la Croix-Rousse s'étendait Condate
("confluent"), un petit village gaulois.

Au Iᵉʳ siècle, la ville devint la capitale administrative et religieuse des Trois
Gaules (Lyonnaise, Aquitaine et Belgique) et accueillait une fois l'an la réunion
des représentants de 60 cités gauloises. L'histoire bascule en 196, quand Lyon
dut faire le choix de soutenir l'un des deux prétendants à la tête de l'Empire
romain : Septime Sévère, le vainqueur, ne pardonna pas à la ville d'avoir
soutenu Albin, son rival. L'importance et l'influence de Lyon décrurent tout
au long du IIIᵉ siècle.

Les invasions barbares

Le IIIᵉ siècle fut aussi celui des invasions barbares. Détruisant les aqueducs
et privant la ville d'eau, elles poussèrent la population à quitter la colline pour
rejoindre les bords de Saône, l'actuel Vieux Lyon. Au Vᵉ siècle, les Burgondes
y établirent leur capitale. Les Francs leur succédèrent du VIᵉ au VIIIᵉ siècle,
mais firent tout leur possible pour affaiblir la ville, ne pouvant accepter son
allégeance passée aux Burgondes.

Comprendre
L'histoire, vue de Fourvière

Lyon est née sur la colline de Fourvière. Et c'est d'ici qu'il est le plus facile
de comprendre l'architecture de la ville. D'en haut, on suit facilement du
regard comment le centre-ville s'est déplacé au cours des siècles. Tout a
donc commencé à l'ouest, en haut d'une colline, par une cité romaine. Puis
Lyon renaît au bord de l'eau : c'est la ville médiévale appelée aujourd'hui le
Vieux Lyon. La Presqu'île, entre le Rhône et la Saône, se développe ensuite.
C'est l'époque classique, soit les XVIIᵉ et XVIIIᵉ siècles. En regardant vers
l'est, un gratte-ciel en forme de crayon domine le paysage. C'est le quartier
de la Part-Dieu. À partir du XIXᵉ siècle, Lyon s'étendra toujours plus vers
l'est. Grâce à ces multiples déplacements du centre-ville, beaucoup de
bâtiments ont pu être conservés. Et c'est ce patrimoine exceptionnel que
l'Unesco a classé en 1998.

Secours catholique

Lyon ne retrouva en partie son importance antérieure qu'au début du XIe siècle, sous l'influence de l'Église qui en fit le siège du primat des Gaules (titre que l'archevêque de Lyon porte encore aujourd'hui). De nombreux édifices religieux virent alors le jour, accompagnant l'urbanisation de la ville. Jusqu'à la fin du XIIe siècle, l'Église possédait tout pouvoir sur la cité : Lyon accueillit deux importants conciles en 1245 et en 1274, et Clément V y fut couronné pape en 1305. Pendant ce temps, bourgeois et marchands contestaient fortement l'hégémonie de l'Église. En 1269, ils se rebellèrent, pillant et massacrant les paysans dévoués aux chanoines. Leur cri de guerre, "En avant Lion le melhor", est resté depuis lors la devise de la ville. N'arrivant pas à obtenir gain de cause, les révoltés finirent par appeler à l'aide Philippe le Bel, qui annexa Lyon au royaume de France en 1292, privant l'Église d'une partie de ses privilèges. Les bourgeois commerçants réunis en "commune" devinrent alors les administrateurs de la ville. Lyon fut définitivement acquise au royaume de France en 1312.

Tel le Phénix : la Renaissance

La guerre de Cent Ans, l'épidémie de peste noire et les famines provoquèrent au XIVe et au début du XVe siècle une nouvelle baisse démographique et d'importantes destructions. Là encore, Lyon se releva. Cette fois, ce fut grâce à un privilège royal très envié : en 1420, la ville eut le droit de tenir chaque année deux, puis quatre foires franches (gratuites), qui furent installées rue Saint-Jean. Attirant commerçants et banquiers (notamment la famille Médicis) de toute l'Europe, devenant le siège de la première Bourse du continent, la ville put renaître de ses cendres et devint plus qu'un pôle économique : elle se transforma en véritable centre de l'industrie, des arts et de la culture. La ville se modernisa et les hôtels particuliers sortirent de terre à une vitesse impressionnante, créant le besoin de construire des traboules (passages entre deux immeubles, voir p. 89) pour gagner de l'espace. Deux événements d'importance marquèrent le renouveau de Lyon : l'invention de l'imprimerie et l'installation d'ateliers de soierie. Lyon vit naître le premier livre imprimé en français en 1476, *La Légende dorée* de Jacques de Voragine, et devint, aux XVe et XVIe siècles, l'un des centres majeurs de l'imprimerie en Europe. Par ailleurs, l'industrie de la soie fut installée à Lyon par François Ier en 1536. Des ateliers de soierie, où travaillaient les canuts, ouvriers spécialisés dans le tissage, envahirent le Vieux Lyon et les soyeux, marchands de soie, prospérèrent rapidement. Au XVIe siècle, la ville fut secouée par la Réforme et de nombreux bâtiments subirent les foudres de l'un des protestants les plus véhéments, le baron des Adrets, qui s'attaqua notamment à la primatiale Saint-Jean en 1562. La guerre civile vit périr de nombreux imprimeurs, lesquels étaient en majorité protestants, et la peste de 1564 emporta les deux tiers de la population.

Demain la révolution

Les XVIIe et XVIIIe siècles virent perdurer l'essor de l'industrie de la soie.
Le centre-ville se déplaça progressivement vers la Presqu'île et c'est à cette
époque que l'hôtel-Dieu fut rénové et que la place Bellecour fut créée et
aménagée. De nouveaux quartiers, Perrache et les Brotteaux, se développèrent.
Ce fut également une période difficile, en particulier pour les populations
les plus pauvres, assommées par l'impôt et qui voyaient leur pouvoir d'achat
baisser inexorablement. La révolution de 1789 marqua une période encore plus
noire pour la ville : majoritairement opposée au mouvement, elle perdit son
nom pour devenir "commune affranchie" et l'on ordonna des destructions qui
touchèrent notamment la place Bellecour. Lyon retrouva son identité grâce
à Napoléon, qui mit également tout en œuvre pour relancer la soierie, dont
l'activité était fortement ralentie depuis les débuts de la Révolution.

Rue de la soie

En 1800, l'apparition du métier Jacquard révolutionna le tissage de la soie
et fit migrer les canuts sur les pentes de la Croix-Rousse dans des espaces hauts
de plafond et lumineux, spécialement construits pour accueillir ce nouvel outil.
Face à une misère croissante, les canuts se révoltèrent à plusieurs reprises
en 1831, puis en 1834 et en 1848. Ils prirent la ville et obtinrent de meilleurs
salaires, mais furent finalement vaincus. Les nouvelles conditions de travail
qu'ils avaient négociées ne furent jamais appliquées. Ces révoltes marquèrent
toutefois un tournant dans l'histoire du monde ouvrier qui, pour la première
fois, s'unissait face au patronat. Ces événements n'empêchèrent pas
la modernisation de l'industrie de la soierie, notamment grâce à l'utilisation
de la chimie pour la création de colorants textiles.

L'envolée industrielle

En 1852, Vaise, la Croix-Rousse et la Guillotière (englobant alors les actuels
quartiers de la Guillotière, des Brotteaux et de Gerland) furent rattachés à
Lyon, offrant à la ville de nouvelles dimensions et de nouvelles prétentions.
L'ancienne capitale des Gaules recouvrit une partie de son importance en
tant que place financière en 1863 avec la création du Crédit lyonnais. Mais la
modernisation ne s'arrêta pas là : la sidérurgie et la métallurgie prirent leur
essor et Berliet installa à Lyon son usine de fabrication automobile. Par ailleurs,
des usines chimiques notables comme la Société chimique des usines du Rhône
(future Rhône-Poulenc) et Saint-Gobain virent le jour. Sur le plan culturel, on
assista à la naissance du cinématographe des frères Lumière en 1895. En même
temps, la ville elle-même changea de visage. Sur la Presqu'île furent percées
de grandes rues, longées par des bâtiments aux façades inspirées du travail
d'Haussmann à Paris. Le funiculaire fut construit, de même que de nombreux

ponts sur les deux fleuves. Des édifices d'importance surgirent dans le paysage urbain : le palais de Justice, le palais de la Bourse, les facultés de la rive gauche du Rhône, mais aussi la basilique de Fourvière. C'est aussi à cette époque que fut aménagé le parc de la Tête-d'Or. À l'aube du XXe siècle, Lyon était en train de reprendre sa place historique sur le plan national.

Guerres et paix

En 1905, Édouard Herriot, homme politique du Parti radical, fut élu maire de Lyon, fonction qu'il occupa presque sans interruption (la seule eut lieu sous l'Occupation) jusqu'à sa mort en 1957. Il fit beaucoup pour l'installation d'infrastructures modernes : hôpitaux, écoles mais aussi logements sociaux. La ville s'équipa de l'électricité en 1910. Lyon garde encore aujourd'hui les traces de l'heureuse collaboration d'Herriot avec Tony Garnier, qui conçut, notamment, les abattoirs, le stade de Gerland et l'ensemble HLM du quartier des États-Unis autour de l'actuel Musée urbain consacré à l'architecte. Durant la Première Guerre mondiale, les usines continuèrent à se développer, notamment celle de Berliet qui fabriqua, en plus des voitures, des camions. La croissance se poursuivit donc, surtout grâce à la sidérurgie, à la métallurgie et à l'industrie textile qui, malgré le déclin de la soierie, sut se réorienter vers les matières synthétiques comme le Nylon et le Tergal. La Seconde Guerre mondiale marqua un arrêt dans la modernisation de la ville, ainsi qu'un tournant dans l'histoire lyonnaise. La ville, restée en zone libre jusqu'en 1942, devint la capitale de la Résistance. Les imprimeries et journaux clandestins et l'action de Jean Moulin, torturé et tué par la Gestapo en 1943, furent les emblèmes de la lutte contre l'occupant. Après la guerre, Lyon se reconstruisit et tenta de regagner sa place historique de carrefour européen. Lors de son dernier mandat, Édouard Herriot engagea de nouveaux projets – comme la construction du tunnel de la Croix-Rousse – qui furent poursuivis par son successeur. Louis Pradel, arrivé à la mairie en 1957, est tout particulièrement connu des Lyonnais pour son goût avoué pour le béton. C'est à lui que l'on doit notamment les projets avortés de destruction du Vieux Lyon – sauvé par André Malraux – et des abattoirs de Tony Garnier, ainsi que l'aménagement un peu douteux du quartier de la Part-Dieu. Mais sa "bétonnite" aiguë permit aussi l'extension de l'autoroute A6, la construction de l'aéroport Lyon-Satolas (aujourd'hui aéroport Saint-Exupéry), la mise en chantier de la première ligne de métro et – un peu de verdure ne faisant pas de mal – la roseraie du parc de la Tête-d'Or.

Le Grand Lyon

Lyon est aujourd'hui la deuxième agglomération française avec près de 1,3 million d'habitants dans la communauté urbaine du Grand Lyon. Et c'est sans doute le résultat de chantiers d'aménagement de grande envergure. Comme Louis Pradel, mais avec moins de béton et plus de respect pour les monuments et les quartiers historiques, les maires successifs de la seconde moitié du XXᵉ siècle cherchèrent à asseoir la place de Lyon sur la scène nationale et européenne. Francisque Collomb, Michel Noir et surtout Raymond Barre entreprirent de grands chantiers qui donnèrent à la ville une image plus moderne. Les années 1990 furent ainsi celles de la Cité internationale (p. 118), de l'aménagement de la nouvelle place des Terreaux (p. 26) par Daniel Buren et Christian Drevet, et de la reconstruction de l'Opéra (p. 30) par Jean Nouvel. Depuis 2001, Gérard Collomb (maire socialiste) a poursuivi les travaux qui ont abouti notamment à l'inauguration de l'amphithéâtre de la Cité internationale en 2006. Parmi les grands projets, le plus important est certainement l'aménagement de la Confluence (p. 52), au sud de la Presqu'île, là où Rhône et Saône se rejoignent. Le musée des Confluences devrait voir le jour fin 2014, renforçant encore l'attractivité des lieux. Les berges du Rhône ont également fait l'objet de grands travaux et sont d'ores et déjà devenues un lieu très agréable de promenade (voir p. 136). Et c'est maintenant au tour des berges de Saône de faire l'objet d'une vaste réhabilitation : 50 km de rives seront réaménagées selon un véritable parcours artistique confié à Jérôme Sans, co-fondateur du Palais de Tokyo à Paris, et les premières séquences ont été inaugurées début 2013.

Carnet pratique

Carnet pratique

Arriver à Lyon

Avion

L'aéroport **Lyon-Saint-Exupéry** (☎ 0826 800 826 ; www.lyon.aeroport.fr) est situé à 25 km à l'est de l'agglomération. **Air France** (☎ 36 54 ; www.airfrance.fr) propose des vols directs quotidiens depuis Paris et la plupart des villes de province, mais aussi depuis Bruxelles et Genève. La compagnie *low cost* **EasyJet** (www.easyjet.fr) assure des liaisons régulières avec plusieurs villes en France : Ajaccio, Biarritz (dès juillet 2013), Bastia, Brest, Bordeaux, Nantes, Nice et Toulouse. La liaison **Rhônexpress** (1 dép/30 min 5h-6h et 21h-00h40 – minuit de Lyon Part-Dieu –, puis 1 dép/15 min 6h-21h ; aller simple adulte/12-25 ans 13,50/11,50 €, aller-retour adulte/12-25 ans

24,50/20,50 €, gratuit pour les moins de 12 ans) relie Saint-Exupéry à la Part-Dieu en moins de 30 minutes. Arrêts également à Vaulx-en-Velin-La-Soie et à Meyzieu-Z.I., d'où vous pouvez emprunter les correspondances tramway ou métro.

Train

Lyon est desservie par des TGV et des trains directs en provenance de la plupart des grandes villes : Lille (3h), Paris (2h), Nantes (4h30), Bordeaux (6h), Toulouse (4h), Marseille (1h40), Bruxelles (3h45) Réservations sur www.voyages-sncf.com.

➡ La gare de **Lyon-Part-Dieu** est desservie par le métro B et les tramways T1 et T3. Pour rejoindre la Presqu'île ou le Vieux Lyon, prenez la ligne B jusqu'à la station Saxe-Gambetta, puis la ligne D. La ligne A

et les tramways T1 et T2 passent par la gare de **Lyon-Perrache**. Il est facile de rejoindre le nord de la Presqu'île à pied. Sinon, la ligne A vous y conduit directement. Depuis la place Bellecour, une correspondance permet de rallier le Vieux Lyon.

➡ La gare **Lyon-Jean-Macé TER** est desservie par la ligne B du métro et le tramway T2.

➡ La gare **Lyon-Saint-Exupéry TGV** est située sous l'aéroport de Lyon. Peu desservie, elle est assez excentrée et peu intéressante.

Voiture

La ville est reliée à Paris par l'autoroute du soleil (A6, 455 km, 4 heures 30) et à Marseille par l'A7 (310 km, 3 heures). Depuis Genève, prendre l'A40 puis l'A42 (148 km, 1 heure 30), et depuis Lille l'A1 puis l'A6 (690 km, 6 heures 30).

Lyon possède une cinquantaine de parcs de stationnement : celui des Terreaux possède 6 dalles en granite retraçant l'histoire de Lyon, et celui de République met en scène un jeu de lumières étonnant. On peut voir l'intérieur du parking des Célestins par un périscope installé sur la place.

Comment circuler

Cyclopolitain

Ces tricycles électriques, respectueux de l'environnement, peuvent être une bonne alternative aux taxis traditionnels pour se déplacer dans le centre-ville. Les **cyclopolitains** (http://lyon.cyclopolitain.com) desservent la Presqu'île dans un périmètre allant de la place des Terreaux à la place Carnot (devant la gare de Perrache), plus le parc de la Tête-d'Or, Saint-Jean et la gare de la Part-Dieu. Ils fonctionnent toute l'année, sauf la première quinzaine d'août, du mardi au samedi (mar-ven 12h-19h, sam 10h30-19h). Les courses, rapides car

les véhicules sont autorisés à circuler sur la chaussée, sur les pistes cyclables et dans les rues piétonnes, coûtent 2 € de prise en charge, puis 2 € par personne et par kilomètre. Pour 2 € de plus, on vient vous chercher dans un délai de 5 minutes (☎ 04 78 30 35 90). Des découvertes de la ville sont également proposées (voir p. 160).

Transports en commun

À Lyon, le réseau des transports en commun est géré par les Transports en commun lyonnais (TCL). Le prix du ticket à l'unité est de 1,70 €. Le ticket Liberté, valable un jour (5 €), est une option souvent avantageuse. Un carnet de 10, disponible dans les stations et les bureaux TCL, coûte 14,70 €. Pour plus de renseignements, consultez le site www.tcl.fr ou appelez Allô TCL au ☎ 0820 42 7000 (0,12 €/min depuis un poste fixe). Le ticket est valable pour un déplacement sur tout le réseau – métro, funiculaire, tramway et bus – dans la limite d'une heure et sans aller-retour sur la même ligne. Vous pouvez donc l'utiliser

pour plusieurs trajets différents, mais avec une seule contrainte : valider le ticket à chaque changement, sauf entre deux lignes de métro. En entrant dans la bouche de métro, avant de valider votre titre, vous remarquerez sans doute que des tickets sont parfois laissés sur les bords par d'autres voyageurs en sortant. C'est que les Lyonnais sont partageurs : un voyageur qui n'a utilisé son ticket qu'une dizaine de minutes laisse volontiers le sien à la personne suivante.

Bus et trolleybus

Plus d'une centaine de lignes de bus parcourent l'agglomération. Les départs se font entre 5h et minuit environ. Lyon possède le plus grand parc français de trolleybus (bus électriques qui s'apparentent à des tramways), moins polluants que des bus classiques. Ils circulent notamment sur 5 lignes fortes : C4, C11, C13, C14 et C18.

Funiculaire

Les deux lignes du funiculaire lyonnais se rejoignent à la station de métro Vieux-Lyon.

L'une rallie l'esplanade de Fourvière (F2), l'autre le quartier Saint-Just (F1), avec un arrêt au niveau du site archéologique (station Minimes). La ligne de Saint-Just circule de 5h23 à minuit, celle de Fourvière, de 6h à 22h. La montée est abrupte et il est malheureusement impossible de profiter de la vue, car les wagons passent dans des tunnels à flanc de montagne. Au départ et à l'arrivée, on peut voir les impressionnantes bobines sur lesquelles s'enroulent les câbles qui tirent le train. Un ticket Funiculaire permet de faire un aller-retour sur une des lignes, dans la journée, pour 2,60 €. Les tickets courants fonctionnent aussi sur ces lignes.

Métro

Le réseau lyonnais comporte 4 lignes qui quadrillent la ville de façon plutôt efficace.

➡ La **ligne A** (rouge) relie la gare de Perrache au sud de la Presqu'île, à la station Vaulx-en-Velin-La-Soie via Charpennes et Laurent-Bonnevay, à l'est de la ville. Départs de Perrache de 5h01 à 0h20, de Vaulx-en-Velin-La-Soie de 4h35 à minuit.

➡ La **ligne B** (bleue) va du stade de Gerland, au sud-est, à Charpennes, au nord-est, en passant par la gare de la Part-Dieu. Départs de Gerland de 4h55 à 0h13, de Charpennes de 4h49 à 0h18.

➡ La **ligne C** (jaune) remonte les pentes de la Croix-Rousse, de l'Hôtel de Ville au quartier de Cuire, au nord. Départs d'Hôtel-de-Ville de 5h00 à 0h25, de Cuire de 5h à 0h25.

➡ La **ligne D** (verte) va de la station Gare-de-Vaise, au nord-ouest, à celle de Gare-de-Vénissieux, au sud-est. Départs de 5h à 0h15.

Tramway

Les cinq lignes du tramway lyonnais complètent bien le réseau du métro.

➡ Le **T1** part de Montrochet, à la Confluence, vers le nord-est jusqu'à l'arrêt IUT-Feyssine, via la gare de la Part-Dieu. Il sera prochainement prolongé jusqu'à Gerland. Départs de 4h52 à 23h43 depuis Montrochet, et de 5h34 à 0h26 depuis IUT-Feyssine.

➡ Le **T2** va de la gare de Perrache jusqu'à Saint-Priest, au sud-est de Lyon. Départs de 5h à 0h35 depuis Perrache et de 4h55 à 23h43 depuis Saint-Priest.

➡ Le **T3** permet de relier rapidement les communes situées à l'est de Lyon (Villeurbanne, Vaulx-en-Velin, Décines et Meyzieu) à la Part-Dieu. Il circule de 5h02 à 0h06 depuis la Part-Dieu et à partir de 4h32 jusqu'à 23h36 depuis Meyzieu.

➡ Le **T4** relie l'Hôpital-Feyzin-Vénissieux, au sud-est de Lyon, depuis l'arrêt Jet-d'eau/Mendès-France, déjà desservi par le T2. Il fonctionne de 4h52 à 0h45 depuis Jet-d'eau/Mendès-France et de 4h39 à 0h18 depuis Hôpital-Feyzin-Vénissieux.

➡ Le dernier-né, le **T5**, relie Grange-Blanche au Parc du Chêne/Eurexpo. Le temps d'attente est indiqué sur un panneau à chaque arrêt. Tablez sur des départs de 5h à minuit dans un sens comme dans l'autre.

Vélo et Vélo'v

Initiative lyonnaise, les Vélo'v sont des vélos accessibles 24h/24 en libre-service. Pour obtenir une carte de 24h, vous n'avez besoin que d'une carte bancaire. Rendez-vous à une borne et suivez les instructions sur l'écran. La carte coûte 1,50 € (caution de 150 €, non encaissée), ou 5 € pour une carte 7 jours. Ensuite, à chaque fois que vous empruntez un vélo, les 30 premières minutes sont gratuites (1 € de 30 min à 1 heure 30, 2 € l'heure supplémentaire). Le Vélo'v doit être restitué sous 24 h au maximum. Une fois que vous avez obtenu votre carte, faites lire le code barre par la machine, choisissez le numéro d'un Vélo'v et vous disposez d'une minute pour le retirer. Pour cela, il suffit d'appuyer sur le bouton rond de la borne et de tirer le Vélo'v vers l'arrière. Pour le rendre, pas besoin de la carte, il faut juste réenclencher le Vélo'v dans la borne. Un double bip sonore et un voyant lumineux vert vous confirmeront que le vélo a bien été restitué. Vous trouverez toutes les informations nécessaires sur www.velov.grandlyon. com. À noter : la Lyon City Card (voir encadré p. 160) vous permet de bénéficier de 60 minutes offertes à chaque trajet.

Infos pratiques

Journaux et médias

➡ **Le Progrès** (www. leprogres.fr). Le quotidien de Lyon et de sa région.

➡ **Tribune de Lyon** (www.tribunedelyon.fr). Hebdomadaire d'actualité de l'agglomération lyonnaise récemment repris par ses salariés.

➡ **Mag2Lyon** (www. mag2lyon.com). Mensuel d'informations générales.

➡ **Le Petit Bulletin** (www. petit-bulletin.fr). Hebdo gratuit consacré aux spectacles, au ton un peu décalé et à forte valeur ajoutée !

➡ **Le Petit Paumé** (www. petitpaume.com). Guide gratuit des restaurants, des bars et des clubs de la ville, conçu par des étudiants de l'École supérieure de commerce de Lyon.

➡ **Rue 89 Lyon** (www. rue89lyon.fr).

➡ **Rebellyon** (www. rebellyon.info). Site d'informations alternatives et engagées sur Lyon et sa région, participatif et collaboratif.

➡ **Bulles de gones** (www. bullesdegones.com). Ce magazine bimestriel gratuit, disponible notamment à l'office du tourisme, recense activités, événements et spectacles dédiés au jeune public et aux familles.

➡ **Mylittlelyon** (www. mylittlelyon.com). Ce site pratique et tendance dévoile bons plans et jolies adresses pour découvrir Lyon autrement.

➡ **Citizen Kid** (www. citizenkid.com). City guide pour organiser des loisirs en famille.

➡ **Radio Canut** (www. radiocanut.org ; 102,2 FM). Radio libre d'expression, aussi diverse politiquement que musicalement.

➡ **Jazz radio** (http:// www.jazzradio.fr/ ; 97,3 FM). Excellente radio lyonnaise dédiée au jazz et à la soul.

Office du tourisme

➡ **Office du tourisme du Grand Lyon** (☎ 04 72 77 69 69, centrale de réservations 04 72 77 72 50 ; place Bellecour, 2ᵉ ; www.lyon-france.com ; ☉ tlj 9h-18h ; Ⓜ Bellecour).

Sites Internet

➡ **www.lyon-france. com :** Le site bouillonnant d'informations de l'office du tourisme.

➡ **www.lyon.fr :** Le site officiel de la ville de Lyon.

➡ **www.vieux-lyon.com :** Nombreuses données culturelles et pratiques sur le Vieux Lyon.

➡ **www.lyon-passionnement.com :** Adresses, informations culturelles et photos.

Visites guidées

Autobus à impériale

Les autobus à impériale **Le Grand Tour** (www. lyonlegrandtour.com) sillonnent la ville le long de ses sites incontournables pour une découverte "Vue d'en haut" et proposent 9 arrêts : Bellecour, Pont Kitchener, Vieux-Lyon, basilique Notre-Dame de Fourvière, Cimetière de Loyasse, Place des Terreaux, Square Jussieu, Pont Wilson/Childebert, quai Romain-Rolland. Réduction offerte avec la Lyon City Card (voir encadré ci-dessus). Tickets en vente à l'Office du Tourisme (p. 159) et sur www.lyon-france.com.

Lyon City Card

La **Lyon City Card** (adulte/enfant 21-31-41 €/12,50-17,50-22,50 € pour 1, 2 ou 3 jours), vendue à l'office de tourisme du Grand Lyon (p. 159) et dans de nombreux points de vente, présente de nombreux avantages. Elle permet d'entrer dans la plupart des musées et de participer aux visites guidées de l'office du tourisme et à certains spectacles gratuitement. Elle offre un accès illimité aux transports en commun (avec un système de coupon à la journée) et permet également de participer à la croisière fluviale de **Lyon City Boat** (www.naviginter.fr / ☎ 04 78 42 96 81). En bonus, des réductions dans trois théâtres, sur les visites à vélo, à Fourvière Aventures et dans divers magasins. Vous pouvez bénéficier de réductions en la commandant sur www.lyon-france.com.

Cyclopolitain

Cyclopolitain (http:// lyon.cyclopolitain.com) propose des balades pour découvrir la ville (2 pers et 1 enfant max, 35 € pour 1h, 60 € pour 2h) avec les commentaires du pilote. Détail des itinéraires sur le site Internet.

Lyon City Boat

Depuis plus de 20 ans, **Lyon City Boat** (www. naviginter.fr) propose aux touristes de découvrir Lyon au fil de l'eau. Le jour, les bateaux-promenades permettent de visiter la ville, soit le long de la Saône, jusqu'à l'île Barbe, soit le long du Rhône en passant par le confluent (🕐 mar-oct). Toute l'année (sauf en février), le bateau Hermès propose des déjeuners et dîners croisières. Tickets en vente à l'Office du Tourisme et sur www. lyon-france.com.

Visites guidées de l'office du tourisme

Pour une découverte plus approfondie des merveilles lyonnaises, l'office du tourisme (p. 159) organise des visites guidées thématiques. Plus d'infos et réservation sur le site www.lyon-france.com.

Hébergement

À Lyon, les possibilités d'hébergement sont nombreuses. Profitez au mieux de votre séjour en logeant sur la Presqu'île, sur les pentes de la Croix-Rousse ou dans le Vieux Lyon, la plupart des sites intéressants se trouvant à proximité de ces quartiers. C'est dans le quartier de la Guillotière, très proche du centre-ville, que vous trouverez les hébergements les moins chers. Les chambres d'hôtes se concentrent pour leur part sur la colline de Fourvière.

Durant la basse saison – de mi-juillet à fin août et pendant les vacances scolaires –, les prix peuvent baisser de 30% par rapport à la haute saison. Des réductions sont également accordées dans de très nombreux hôtels le week-end, du vendredi au dimanche soir (surtout dans le secteur Part-Dieu, qui n'est pas le plus charmant, mais qui a le mérite d'être central). Si vous souhaitez séjourner à Lyon pendant la fête des Lumières (autour du 8 décembre), veillez à vous y prendre plusieurs mois à l'avance : la grande majorité des établissements, hôtels comme chambres d'hôtes, sont réservés avant l'été ! Les prix indiqués dans ce chapitre sont ceux de la moyenne saison et concernent, sauf indication contraire, des chambres avec salle de bains attenante.

Petits budgets

🛏 Auberge de jeunesse

📞 04 78 15 05 50 ; www.hihostels.com ; 41-45 montée du Chemin-Neuf, 5ᵉ ; dort 22,30 €/pers, taxe, draps et petit-déj inclus et carte membre obligatoire (11€ adhésion) ; Ⓜ Vieux-Lyon, funiculaire ou Ⓡ C9 arrêt Minimes

Une des rares auberges de jeunesse du pays à être aussi bien située ! Chambres propres et confortables, cuisine à disposition et vue époustouflante sur Lyon, le tout à un tarif imbattable. Mais tout se paie et ici, la monnaie, c'est la sueur : la montée depuis le métro Vieux-Lyon est un peu rude ! Sachez-le...

🛏 Hôtel Iris

📞 04 78 39 93 80 ; www.hoteliris.fr ; 36 rue de l'Arbre-Sec, 1ᵉʳ ; s/d/tr/qu 60/65/70/80 € ; Ⓜ Hôtel-de-Ville

Cet hôtel dispose de chambres simples et calmes, et bénéficie d'une situation centrale enviable.

🛏 Hôtel des Facultés

📞 04 78 72 22 65 ; www.hotel-des-facultes. com ; 104 rue Sébastien-Gryphe, 7ᵉ ; s/d sdb commune 35/39 €, s/d/tr avec sdb 52/62/68 €, petit-déj 5 €, parking 6 €/j ; Ⓜ Jean-Macé

Un excellent choix si votre budget est limité. Ce n'est bien sûr pas un palace mais les chambres qui viennent d'être refaites pour certaines sont propres et confortables, à un prix défiant toute concurrence. En prime, l'accueil est extrêmement sympathique.

🛏 Hôtel du Helder

📞 04 78 61 61 61 ; www.helder.fr ; 38 rue de Marseille, 7ᵉ ; s/d/tr 68/78/85 €, petit-déj inclus ; Ⓜ Guillotière

Une moins bonne affaire que le précédent mais tout de même très correct pour le prix. En réservant via le site www.voyages-sncf.com, le prix des chambres débute à 58 € (petit-déjeuner non compris), ce qui devient avantageux.

🚌 Hôtel Élysée

📞 04 78 42 03 15 ; www.hotel-elysee.fr ; 92 rue Président-Édouard-Herriot, 2ᵉ ; s/d standard 75/79 € ; s/d supérieure 79/84 € ; tr 96 € ; Ⓜ Bellecour

Ici, le personnel est parfait ; les chambres, un peu moins. Certes un peu démodées, elles possèdent néanmoins le confort indispensable et sont impeccables. Évitez celles sur rue, très bruyantes au petit matin.

Catégorie moyenne

🚌 Le Boulevardier

📞 04 78 28 48 22 ; www.leboulevardier. fr ; 5 rue de la Fromagerie, 1ᵉʳ ; s/d/tr 51-56/59/62 € taxe incluse ; Ⓜ Hôtel-de-Ville

À côté de l'église Saint-Nizier, Cédric, le patron, accueille ses hôtes

comme des membres de sa famille et communique l'amour de sa ville autour d'un verre. Les chambres colorées, simples mais confortables, sont d'un très bon rapport qualité/prix.

🚌 Hôtel des Célestins

📞 04 72 56 08 98 ; www.hotelcelestins. com ; 4 rue des Archers, 2ᵉ ; s/d sur cour 70-94/84-104 €, s/d avec vue 84-104/94-114 € ; Ⓜ Bellecour

Des chambres qui rappellent celles de nos grand-mères, chacune possède une petite bibliothèque en bois. La réception, au 1ᵉʳ étage, est coincée entre la cuisine et la salle du petit-déjeuner, mais l'accueil est très sympathique. Un bémol : il faut se dévisser le cou pour voir le théâtre depuis les chambres annoncées avec vue. Des chambres plus spacieuses (25 m²) sont aussi proposées (s/d/t à 111/121/141 €) ainsi qu'une junior suite de 35 m².

🚌 Hôtel du Théâtre

📞 04 78 42 33 32 ; www.hotel-du-theatre. fr ; 10 rue de Savoie, 2ᵉ ; s/d standard 64/69 €, s/d supérieure 69/75 € ; Ⓜ Bellecour

Cet hôtel, tenu par une équipe jeune, propose des chambres simples et plaisantes, certaines avec une jolie vue sur le théâtre des Célestins.

🚌 Hôtel de Paris

📞 04 78 28 00 95 ; www.hoteldeparis-lyon. com ; 16 rue de la Platière, 1ᵉʳ ; s/d 55-95/67-138 € ; Ⓜ Hôtel-de-Ville

Une bonne option, idéalement située près des Terreaux. Trente chambres confortables, à la déco insolite dans un bâtiment datant du XIXᵉ siècle. Optez

Location d'appartements

Didier Courtin (📞 04 78 53 23 68 ; www.urbansejour.com ; 30 rue Antoine-Charial, 3ᵉ ; studio 60-90 € la nuit/300 à 420 € la semaine, appt 4 pers 110-160 € la nuit/580-840 € la semaine) propose plus de 95 appartements sur Lyon et ses alentours, du studio au triplex en passant par l'appartement 3 pièces. Cette centrale de réservation de 65 propriétaires est une solution pratique pour les longs séjours en groupe.

pour la chambre Apple ou la chambre Café des Fédérations. Claude et son adorable compagne Carla vous reçoivent avec le sourire 24h/24.

🏠 Hôtel Moderne

📞 04 78 42 21 83 ; www.hotel-moderne-lyon.com ; 15 rue Dubois, 2ᵉ ; s/d/tr/qu 59,50/74-86/99/114 € ; Ⓜ Cordeliers

Ne faites pas demi-tour devant l'allure vétuste de l'ascenseur : les chambres, plutôt charmantes, ont la saveur rassurante d'autrefois.

🏠 Hôtel Best Western Saint-Antoine

📞 04 78 92 91 91 ; www.hotel-saintantoine.fr ; 4 rue de l'Ancienne-Préfecture, 2ᵉ ; d standard 71-135 € (WE -10 €) ; Ⓜ Bellecour

À deux pas des Jacobins, vous trouverez là des chambres sobres, élégantes et modernes, et un accueil impeccable. Location d'appartements avec cuisine à la nuitée également.

🏠 La Résidence

📞 04 78 42 63 28 ; www.hotel-la-residence.com ; 18 rue Victor-Hugo, 2ᵉ ; s-d/tr 94/107 € ; Ⓜ Bellecour

Si la façade extérieure est peu attrayante, vous verrez que le hall et l'accueil qui vous est réservé sont une bonne surprise. Dommage que les chambres soient équipées du nécessaire mais dénuées de charme.

🏠 Hôtel des artistes

📞 04 78 42 04 88 ; www.hotel-des-artistes.fr ; 8 rue Gaspard-André, 2ᵉ ; s/d standard 92-105/125 € ; s/d privilège 129/149 € ; Ⓜ Bellecour

Une situation centrale près du théâtre des Célestins, mais les chambres (sans charme particulier) sont plutôt chères. La moitié a vue sur le théâtre, l'autre sur une petite rue.

Comme chez Mama

Après Paris et Marseille, le **Mama Shelter** (📞 04 78 02 58 00 ; www.mamashelter.com ; 13 rue Domer, 7ᵉ ; d 79-159 € ; Ⓜ Jean-Macé) pose ses valises dans la cité des Gones. Le concept ? Un hôtel de luxe contemporain, à la déco signée Starck, à prix relativement abordable. Un peu excentré, dans le quartier Jean-Macé.

🏠 Nos Chambres en ville

📞 04 78 27 22 30 ; www.chambres-a-lyon.com ; 12 rue René-Leynaud, 1ᵉʳ ; 1/2/3 pers 75/85/120 €, à partir de 3 nuits 1/2/3 pers 70/80/115 €, petit-déj et taxe de séjour inclus ; Ⓜ Hôtel-de-Ville ou Croix-Paquet

À deux pas des Terreaux, dans un joli appartement des pentes, Karine propose trois chambres d'hôtes très cosy. Au rez-de-chaussée, ce duplex boisé traversé par une passerelle métallique a un charme fou. L'été, on apprécie le petit-déjeuner, avec pâtisseries et confitures maison, dans la microcour.

🏠 Hôtel de la Croix-Rousse

📞 04 78 28 29 85 ; www.hotel-lyon-croix-rousse.com ; 157 bd de la Croix-Rousse, 4ᵉ ; s/d/tr 68/74/86 € ; Ⓜ Croix-Rousse

Sur le plateau de la Croix-Rousse, au-dessus du marché, cet hôtel entièrement rénové est parfait tant pour sa localisation que pour ses tarifs. Accueil sympathique.

📍 Hôtel Saint-Paul

📞 04 78 28 13 29 ; www.hotelstpaul.fr ;
6 rue Lainerie, 5ᵉ ; ch 1 ou 2 pers 75-92 € ;
Ⓜ Vieux-Lyon

Dès que l'on arrive dans cet
établissement, on s'y sent bien. Situé
au cœur du Vieux Lyon, il présente un
très bon rapport qualité/prix, surtout
pour les chambres rénovées. Animaux
acceptés et Wi-Fi .

📍 Artelit

📞 04 78 42 84 83/06 81 08 33 30 ; www.
dormiralyon.com ; 16 rue du Bœuf, 5ᵉ ; ch
115-135 €, ste 130-160 €, appt d'hôtes 130-
180 € ; petit-déj inclus ; Ⓜ Vieux-Lyon

Au pied de la Tour rose, dans une
superbe traboule, le photographe
Frédéric Jean (son atelier est dans
la cour) a superbement aménagé
et décoré cet espace dans le style
Renaissance. Le cadre compense
largement le manque de luminosité.
Prix dégressifs dès trois nuits. Adresse
prisée, pensez à réserver.

📍 Collège Hôtel

📞 04 72 10 05 05 ; www.college-hotel.
com ; 5 place Saint-Paul ; 1ᵉʳ/2ᵉ/3ᵉ cycle
125/145/155 €, parking 15 €/j ;
Ⓜ Vieux-Lyon

Un concept vraiment original. La déco
rappelle une école des années 1960 :
salle de classe/petit-déjeuner avec
bancs d'écoliers et tableau noir, bureau
du professeur/bar, photos de classe
en noir et blanc... Côté chambres, des
pièces ultramodernes entièrement
blanches, des murs au mobilier en
passant par le téléphone et le parpaing-
table de chevet. On se laisse prendre à
la magie du contraste.

📍 Maison d'hôtes La Grange de Fourvière

📞 04 72 33 74 45 ; www.grangedefourviere.
fr ; 86 rue des Macchabées, 5ᵉ ; s/d 74/89 €,
petit-déj inclus, parking ; Ⓜ funiculaire
Saint-Just

Ambiance de village à quelques minutes
du centre-ville dans ce gîte situé juste
en face de l'église Saint-Irénée et de sa
petite place. Quatre chambres, dont
trois avec accès indépendant, et un
appartement pouvant accueillir jusqu'à
6 personnes (570/660 € la semaine).

📍 Maison d'hôtes du Greillon

📞 06 08 22 26 33 ; www.legreillon.com ;
12 montée du Greillon, 9ᵉ ; s/d 80-92/85-
100 €, petit-déj inclus ; 🚌 31 depuis
Ⓜ Perrache ou 🚌 C14 arrêt Greillon depuis
Ⓜ Part-Dieu

Un peu à l'écart du centre-ville, mais
un cadre d'exception ! Une maison
splendide avec un jardin, une vue
imprenable sur Lyon et une terrasse
très agréable en été. Chaque chambre
(il y en a quatre au total), désignée par
sa couleur dominante, est décorée de
façon différente : on y trouve notamment
de grands lustres, des tentures aux
murs et des meubles en fer forgé. Tarifs
dégressifs à partir de 3 nuits.

📍 Au Patio Morand

📞 04 78 52 62 62 ; www.hotel-morand.fr ;
99 rue de Créqui, 6ᵉ ; s/d 78-141/81-152€,
chambre mezzanine/confort 107-142/125-
169 € ; Ⓜ Foch

Comme son nom l'indique, l'hôtel
possède un très beau patio où il fait
bon prendre son petit-déjeuner quand
le ciel est clément. Les chambres les
moins chères sont assez petites et leur

Nuits insolites

Péniche Barnum

☎ 09 51 44 90 18 et 06 63 64 37 39 ; www.peniche-barnum.com ; face au 3/4 quai Sarrail, 6ᵉ ; chambre du capitaine 120/200 €, suite Amiral 150-230 €, petit-déj bio 11 € ; Ⓜ Foch

Nuits au fil du Rhône, à bord d'une somptueuse péniche amarrée en plein centre-ville, face à l'Opéra… Un luxe vraiment exclusif, un brin bobo mais tellement poétique !

Péniche El Kantara

☎ 04 78 42 02 75 ; peniche.elkantara@gmail.com ; quai Rambaud, 2ᵉ ; s/d 100/110 € petit-déjeuner inclus, cabine suppl. 40 € ; Ⓜ Perrache

L'option péniche existe aussi en version plus abordable… cette fois-ci sur la Saône. Dominique Abafourd propose une chambre étonnante, qui peut se compléter d'une cabine supplémentaire avec deux lits simples pour 1 ou 2 enfants. Le détail qui tue : la piscine intérieure !

Roulottes et Cabane Véronique Meunier

☎ 06 09 76 35 32 ; www.roulottesetcabane.fr ; 27-29 rue Jean-Baptiste-Simon, Sainte-Foy-lès-Lyon ; 110 € la nuit en roulotte, 90 € à partir de 3 nuitées/130 € la nuit en cabane, 110 € à partir de 3 nuitées

Pour une escapade originale, Véronique propose, à quelques minutes du centre-ville de Lyon, deux roulottes et une cabane. Authentique et dépaysant !

ameublement plutôt basique, mais toutes sont chaleureuses, avec leurs murs jaunes ou rose-orangé. Évitez celles qui donnent sur la rue ou sur le couloir du rez-de-chaussée, bruyantes.

🛏 Hôtel du Parc

☎ 04 72 83 12 20 ; www.hotelduparc-lyon.com ; 16 bd des Brotteaux, 6ᵉ, sonner à l'interphone ; s/d/tr/qu 71-91/81-131/121-171/131-181 € ; Ⓜ Masséna ou Brotteaux

Tout proche de l'ancienne gare des Brotteaux. Les 22 chambres à la déco identique – mobilier blanc, rideaux et linge de lit aux couleurs chatoyantes – sont confortables, même si l'accueil n'est pas des plus agréables. Attention

au bruit qui filtre malgré le double vitrage dans celles qui donnent sur la rue. L'hôtel est entièrement non-fumeur.

🛏 Le Roosevelt

☎ 04 78 52 35 67 ; www.hotel-roosevelt.com ; 48 rue de Sèze, 6ᵉ ; d classique 90-190 € (1 ou 2 pers) , d supérieure 100-220 € (1 ou 2 pers), ste et duplex 130-230 € ; parking 15 €/j ; Ⓜ Foch

Les chambres classiques sont agréables – moquette rouge, murs blancs et mobilier en bois et le tout est parfaitement tenu. Les chambres sur cour (supérieures) sont plus chères, mais le calme de la rue vaut bien le supplément.

ⓔ Évasion Loft

☎ 06 20 37 61 07 ; www.evasion-loft.com ; 21 cours Vitton, 6ᵉ ; s/d 80-100/90-110€, ste 150-160 €, petit-déj inclus ; Ⓜ Massena

Thérèse et Olivier proposent des chambres d'hôtes d'exception dans leur somptueux loft du 6ᵉ arrondissement. Idéalement situées en arrière-cour, les trois chambres Part-Dieu, Saint-Jean ou Tête-d'Or vous promettent un calme olympien. La luxueuse suite Vitton réserve elle une agréable surprise : une terrasse extérieure avec une table et des chaises. Climatisation dans toutes les chambres.

ⓔ Hôtel de Noailles

☎ 04 78 72 40 72 ; www.hoteldenoailles.fr ; 30 cours Gambetta, 7ᵉ ; s/d/tr 99-115/109-165/127-195€, junior ste 195€, petit-déj 9,50 €, garage 18 €/j ; Ⓜ Saxe-Gambetta

Les chambres de cet hôtel ne sont certes pas ravissantes d'un point de vue purement esthétique, mais elles sont équipées du nécessaire et très calmes (elles donnent sur cour ou sur jardin). Les "suites" pouvant accueillir 5 personnes sont réellement bon marché. Service et accueil de qualité.

ⓔ Athéna Part-Dieu

☎ 04 72 68 88 44 ; www.athena-hotel. com ; 45 bd Vivier-Merle, 3ᵉ ; s/d/tr 70-115/105-110/110 €, petit-déj 9,90 €, garage 9,50 €/j ; Ⓜ Part-Dieu

À deux pas de la gare (presque littéralement), cet hôtel propose des chambres assez petites mais plutôt agréables, équipées du Wi-Fi (gratuit) et de doubles fenêtres, et isolées du vacarme du boulevard. Prix très intéressants le week-end et en basse saison (à partir de 58 € la nuit).

ⓔ Hôtel Lyon Ouest Vaise

☎ 04 72 66 01 01 ; www.hotellyonouest. com ; 50 quai Paul-Sédallian, 9ᵉ ; d classique 70-125 €, d prestige 80-145 € ; 🚇 43 Jean-Marcuit

Face aux rives de Saône, ce vaste hôtel plutôt orienté sur le tourisme d'affaires dispose d'une centaine de chambres modernes et spacieuses ainsi que d'une salle de sport et d'un restaurant italien.

Catégorie supérieure

ⓔ Grand Hôtel des Terreaux

☎ 04 78 27 04 10 ; www.hotel-lyon.fr ; 16 rue Lanterne, 1ᵉʳ ; loge (1 pers)/balcon (1/2 pers)/ corbeille (1/2/3 pers)/junior (2/3 pers) 107/135/160/180 € ; Ⓜ Hôtel-de-Ville

Très bon rapport qualité/prix, tout spécialement en basse saison, pour des chambres luxueuses. Les plus petites possèdent des meubles en bois exotique et une décoration plus moderne que les autres, au charme classique. Cet ancien relais de poste réserve une surprise : une éblouissante piscine intérieure sous une voûte en pierre, avec espace balnéothérapie.

ⓔ Hôtel Carlton Lyon

☎ 04 78 42 56 51 ; www.accorhotels.com ; 4 rue Jussieu, 2ᵉ ; ch standard/privilège 140-290/180-340 €, rotonde (suite) 230-390 € ; Ⓜ Cordeliers

Les chambres "supérieures", rouge et jaune, sont dans l'esprit de l'hôtel : luxueuses – mais l'on s'y sent vite à l'aise. Le bar est agréable pour un moment de détente. La salle du petit-déjeuner, décorée au plafond d'une fresque de style italien, surprend tout autant que l'ascenseur d'époque et sa banquette en bois datant de 1930.

Les petits plus avec lesquels il faut compter

Tous les hôtels de Lyon doivent facturer une taxe de séjour comprise entre 0,15 et 2 € par jour et par personne, en fonction du standing de l'établissement. Sauf indication contraire, cette taxe n'est pas incluse dans les prix mentionnés dans cette rubrique. Par ailleurs, la plupart des hôtels proposent à leurs hôtes un petit-déjeuner, en salle ou en chambre. Il coûte généralement entre 5 et 11 € pour les établissements petits budgets et catégorie moyenne, et entre 11 et 25 € pour ceux de la catégorie supérieure. Dans les chambres d'hôtes, le petit-déjeuner est compris dans le prix, détail à ne pas négliger lorsque l'on compare leurs tarifs avec ceux des hôtels. Selon les périodes de l'année ou en fonction des événements, tels que la foire de Lyon, les salons ou encore la fête des Lumières, les prix changent sensiblement – de 5 à 30 € par nuit. Dans certains quartiers touristiques, l'addition passe presque du simple au double ! Pensez donc à vous renseigner avant de choisir la période de votre séjour !

😊 Lyon Beaux-Arts

☎ **04 78 38 09 50 ; www.mercure.com ; 73-75 rue du Président-Édouard-Herriot, 2ᵉ ; ch standard/supérieure 114-204/ 134-234 €, junior suite 144-244 € ;** Ⓜ**Cordeliers**

Rien à dire sur ce trois-étoiles : du hall aux chambres, en passant par l'accueil et la localisation, tout est impeccable. Les chambres "supérieures" sont un peu plus grandes que les "standard", mais les 30 € d'écart ne sont pas forcément justifiés.

😊 Plaza République

☎ **04 78 37 50 50 ; www.accorhotels.com ; 5 rue Stella, 2ᵉ ; standard (1 ou 2 pers) 119-169€/privilège (1 ou 2 pers) 149-199 € ;** Ⓜ**Cordeliers/Bellecour**

À quelques pas de la place de la République, comme son nom l'indique. Nul besoin de longs discours : chambres, service et accueil sont à la hauteur du prix.

😊 Globe et Cecil

☎ **04 78 42 58 95 ; www.globeetcecilhotel. com ; 21 rue Gasparin, 2ᵉ ; s/d 149/186 €, petit-déj inclus ;** Ⓜ**Bellecour**

Cet hôtel de charme dans une rue perpendiculaire à la place Bellecour est un établissement familial depuis trois générations. Les chambres sont spacieuses, toutes différentes (chacune sa couleur) et élégantes, avec moulures et parfois cheminée en marbre surmontée de miroir. Climatisation.

😊 Grand Hôtel Boscolo

☎ **04 72 40 45 44 ; www.boscolohotels. com ; 11 rue Grôlée, 2ᵉ ; ch classique/deluxe 115-145/145-175 €, junior suite 200-240 € ;** Ⓜ**Cordeliers/Bellecour**

Le hall donne le ton : ici, tout n'est qu'ordre, beauté, luxe, calme et volupté. Le bar Art déco confirme la première impression. Quant aux chambres, les moins chères sont assez petites en comparaison des "deluxe", très spacieuses. Certaines sont aménagées de façon moderne, alors que d'autres sont très classiques avec un petit côté *british* assez charmant. Préférez celles avec vue sur le Rhône.

🌐 Hôtel Lyon Métropole

📞 **04 72 10 44 44 ; www.lyonmetropole. com ; 85 quai Joseph-Gillet, 4e ; classique/ junior suite 170-215/200-245 €**

Un peu excentré, sur les quais de Saône en direction de l'île Barbe, cet hôtel de luxe ultramoderne accueille une clientèle d'affaires et de sportifs (2 piscines et 11 courts de tennis). Il abrite le plus grand spa urbain d'Europe (2 500 m²) où l'on propose des soins Cinq Mondes.

🌐 La Cour des loges

📞 **04 72 77 44 44 ; www.courdesloges.com ; 2-8 rue du Bœuf, 5e ; petite mezzanine/ classique/supérieure/ste 200-305/215-380/265-470/330-635 €, appt 450-845 € ; garage 35 €/j ; Ⓜ Vieux-Lyon**

Si vous voulez passer une nuit de rêve dans un hôtel de luxe, c'est ici et pas ailleurs. Le cadre est tout simplement fabuleux : quatre bâtiments des XIVe, XVIe et XVIIe siècles ont été réunis pour accueillir des chambres exceptionnelles. Les moins chères sont aussi les plus petites mais possèdent une mezzanine. Les supérieures ont une baignoire dans la chambre même. Vous n'avez pas les moyens d'y loger ? Prenez un verre au bar pour profiter du décor.

🌐 Villa Florentine

📞 **04 72 56 56 02 ; www.villaflorentine. com ; 25 montée Saint-Barthélemy, 5e ; classique/deluxe/ste/junior ste/ste Médicis 280/380/480/580/950 € ; petit-déj 25 € ; Ⓜ Vieux-Lyon**

Ce bâtiment du XVIIe siècle domine la ville : la vue depuis la terrasse-restaurant est époustouflante, tout comme le hall avec ses fresques du XVIIIe siècle. Le luxe et le charme sont bien entendu aussi dans les chambres aux meubles d'époque et, pour certaines, aux pierres apparentes. Un spa Kanebo complète l'offre de ce cinq-étoiles d'exception.

En coulisses

Vos réactions ?

Vos commentaires nous sont très précieux pour améliorer nos guides. Notre équipe lit vos lettres avec la plus grande attention et prend en compte vos remarques pour les prochaines mises à jour. Pour nous faire part de vos réactions, prendre connaissance de notre catalogue et vous abonner à notre newsletter, consultez notre site Internet : **www.lonelyplanet.fr**

Nous reprenons parfois des extraits de notre courrier pour les publier dans nos guides ou sites web. Si vous ne souhaitez pas que vos commentaires soient repris ou que votre nom apparaisse, merci de nous le préciser. Notre politique en matière de confidentialité est disponible sur notre site Internet.

Pour publier des guides sur certaines destinations, Lonely Planet accepte parfois l'assistance d'organismes ou d'entreprises comme les offices du tourisme ou les compagnies aériennes. Mais dans ce cas, nous garantissons notre indépendance éditoriale en appliquant de façon très stricte les règles suivantes :
- informer le lecteur sur tous les prestataires touristiques et pas seulement sur ceux qui nous aident dans la réalisation de ce guide
- ne jamais promettre une contrepartie quelconque qui mettrait en péril notre intégrité et ne jamais faire un commentaire favorable en échange d'une aide matérielle.
Cet ouvrage a été réalisé avec l'aide de la société Lyon Confluence.

À nos lecteurs

Merci à tous les lecteurs qui ont utilisé la précédente édition de ce guide et ont pris la peine de nous écrire pour nous communiquer informations, commentaires et anecdotes :

Clémence Legrand, Laure Leloup, Éric et Sandra Morel, J.-M. Vigot

Un mot de l'auteur

Mes plus sincères remerciements à la joyeuse équipe du Lonely Planet France, en particulier à Didier Férat pour sa confiance renouvelée, et à Nicolas Benzoni, pour son investissement considérable lors du travail de relecture et de maquette. Merci aussi à tous les Lyonnais qui ont pris le temps de partager leurs adresses coups de cœur avec moi : Hélène Boo et la Fooo fooo Team, Alexis, Béatrice, Jean-Baptiste et Vincent pour les bouchons et les bons restos, Romain Vallet et Maël pour la scène gay, Laurent à Saint-Just, François, expert ès pubs irlandais,

Bruno pour la Croix-Rousse, Marine Guy et tout le personnel de l'Office du Tourisme de Lyon, particulièrement réactif. Merci aussi à toutes les personnes qui ont accepté d'être photographiées dans les bars, les parcs, les restaurants... Merci à Isa de m'avoir confié son bureau de ministre et son appartement, ainsi qu'à Édouard B., à qui je serai toujours liée par les liens sacrés du babyfoot. Enfin merci à celle sans qui rien de tout cela ne serait arrivé : merci à Lyon, plus belle ville de France à mes yeux, d'être chaque jour à nouveau matière à émerveillement.

Crédits photographiques

Photographies © comme indiqué 2013. Photographie de couverture : Primatiale Saint-Jean vue depuis la Saône © MONTICO Lionel / Hemis.fr Photographie p. 4 : © Claire Angot

À propos de cet ouvrage

Cette 3e édition française de *Lyon En quelques jours* est une création de Lonely Planet/En Voyage Éditions. Les précédentes éditions de ce guide ont été écrites par Émilie Esnaud et Emmanuelle Hebert.

Direction éditoriale
Didier Férat

Coordination éditoriale
Nicolas Benzoni

Responsable prépresse
Jean-Noël Doan

Maquette
Marie Dautet

Cartographie AFDEC :
Claude Dubut,
Catherine Zacharopoulou,
Martine Marmouget

Couverture
Annabelle Henry

Merci à Bernard Guérin pour sa relecture attentive du texte et à Claire Chevanche pour son travail de référencement.

Index

Voir aussi les index des rubriques :

⊗ **Se restaurer p. 173**

☕ **Prendre un verre p. 174**

✺ Sortir p. 174

🔒 **Shopping p. 174**

🛏 **Se loger p. 175**

Référence des **sites**

⊗ Se restaurer

L'auteur

Claire Angot

Amoureuse de l'Hexagone avec un grand H, Claire est diplomée de l'ESJ Lille et vit à Lyon. Elle se passionne pour les questions environnementales, le spectacle vivant et la photographie de voyage. Avant de devenir auteure pour les guides Lonely Planet elle a été reporter pour France 3 et a travaillé pour différentes rédactions de presse régionale dans toute la France. Née en Normandie, elle fut tour à tour rouennaise, lilloise, cortenaise, parisienne, lyonnaise ... Elle aime à poser ses valises au gré des vents et des rencontres, avec une soif de découvertes et une curiosité toujours renouvelées.

Lyon en quelques jours
3e édition

© Lonely Planet Publications Pty Ltd 2013
© Lonely Planet et Place des éditeurs 2013
Photographies © comme indiqué 2013

Dépôt légal Avril 2013 - ISBN 978-2-81613-336-3

Photogravure : Nord Compo, Villeneuve d'Ascq
Imprimé par L.E.G.O. Spa (Legatoria Editoriale Giovanni Olivotto), Italie

En Voyage Éditions | un département place des éditeurs